High and dry（はつ恋）

よしもとばなな

文藝春秋

High and dry（はつ恋）

装幀　大久保明子
装・挿画　山西ゲンイチ

十四歳のその秋のはじまりは、何かを予感するみたいに、世界中が完全な色に輝いて見えた。

つやつやと茶色い栗や、その栗の中の鮮やかな黄色だとか、紙袋から出したときのまいたけの乾いた木のような匂いだとか、かぼちゃの緑と黄色やあのほくほくした感じだとか。金の光の中の、吹き抜ける風に舞う金の落ち葉、そしてその清潔な、何かが燃えたあとみたいに深い香りがする空気だとか。

そういういろいろなもの全部に、いつもよりもふんだんに金の粒がちりばめられているような感じがした。

雨が降って道のほこりが洗い流されると、澄んだ空気がまるで生まれたてのようにあたりに満ちてきて、生き物みたいにうごめきだす。そして、金木犀の匂いや、ちょっと鼻の奥がつんとするような冷たさや土の濡れた匂いがあたりにたちこめる。なんてぜいたくなのかしら、まるで世界が秋を祝っているようだわ、と私は思った。

いろいろなものを通して、自分の中の美が、世界に力強くぐんぐんと伸びていく。

そういう気持ちがはちきれそうだった。


私はその頃、いつでもとてもとても真剣に考え事をしていて、それはたいてい、この世の中がどんなふうに、どういうしくみでできているかということに関してだった。

そのせいで、そういう考え事からふと現実に戻るようなとき、私の目にはたまにへんなものが見えることがあった。

たとえば、高架下にたたずむヘルメットをかぶったままの人。どんなに彼のまわりをよく見てもバイクはない。おかしいな、ともっとよく見ると、その人は消えていて、いろいろな人が持ち寄ったらしいさまざまな花束がガードレールに立てかけてある。

そうか、ここで亡くなったんだ……と私はそっと手を合わせた。そうすることが自然に思えた。

それで、私はひとつまた勉強をする。

死んだ人にお花をそなえるのは、むだじゃないんだわ。だって、あの人は花に寄りかかるようにして立ってたもの。きっとなぐさめられているし、香りも届いているわ。

それとか、同級生の背中を授業中にぼんやりと見ていると、私の頭の中になぜかその子のお父さんとお母さんがけんかしている画面が浮かんできたりする。その子のお父さんやお母さんの顔も全然知らないのに、なぜか浮かんできてしまう。

もしかしてこれってほんとうにあったことなのかな？　と私は思い、よく知らないその子に急に親しみを覚えたりする。「お父さんとお母さん、仲直りするといいね！」と私は心の中でちょっと思う。そうすると、なぜかふだんほとんどしゃべらないその子が、次の休み時間ににっこりと笑いかけてきたり、帰りに「バイバイ！」と手を振ってくれたりする。

あれ？　と私は思う。もしかして、こうやって見えないところでも人間はコミュニケーションをとりあったりしてるのかもしれないな。

そうか、だから、すごくにこにこしている人でも、会ったあと胸の奥のほうがひやりとしたりすることがあるんだな、と発見したりもする。

そんなふうにいろいろ考え、ぼうっとしたり、時には眠れなかったり、なんだか体にうまく自分が収まっている気がしなかったり、いろいろなことが手につかない私だったが、お母さんがそのことをあまりとがめず「エキセントリックなところがある子だし、思春期だから」というふうにとらえてくれたので、考えの重みに押しつぶされずにすんだ。

お母さんは目に見えないことを多少は信じていて、それが現実の生活をじゃましないかぎりは「あなたに見えちゃうものなんだから、あるということにしておくのが筋じゃない？」と言ってくれた。

「もしもそれがあなたにしか見えないもので、あなたが自分でつくりだしたものだとしても、別にいいじゃない。見えているうちは、見えたほうがいいんでしょうよ。ずっと見えるなら、それはそれでまたそのとき考えればいいことじゃない？　なにか、人の役にたつような力かもしれないし、まだなんとも言えないものね。」

お母さんはめがねの奥の目を少しだけ心配そうな色に変えながらも、本気でそう言ってくれているのがよくわかった。

その対応がどんなに私を救っただろう。おかげで私はおかしくなってしまわずにすんだ。

道で半透明の人を見かけるときや、朝方、空気の中に植物の発する勢いのいい蒸気みたいなものが見えたりするとき、それから公園を散歩していると、巨大な魚だとか、極小の蜂だとか、そういうありえない生き物を見ることもあった。私はただそれを「見えるなあ」と思えばよかった。少なくとも、罪悪感も持たず、妙に自慢に思ったりしなくてよかった。

ちょっとでも自分が変なのではないかと思ったとき、お母さんのめがねの奥の目がふっとよみがえってきて、私をこの世の中に、画鋲みたいにぴしっと留めてくれた。

お母さんは、近所の自然食の店の上にある書店でパートの仕事をしている。そこは精神世界の本や、自然に近く生きるための本や、宗教の本ばかり扱っている変わったところだが、昔からそういう本が好きで好きでしかたないお母さんにとって、それは天職だった。

そして、お母さんがこの世でいちばん大切にしている食べ物はどういうわけかアイスだった。季節に全く関係なく、私のお母さんはいつでもアイスを食べている。

そういうわけで、お母さんの仕事が終わる頃にその本屋さんにお母さんを迎えにいって、帰りにいっしょにアイスを食べるのが私たち親子の習慣だった。

うちの近所にはとても有名なアイスのお店がある。雑誌に出てくる食にうるさいことで有名な人たちが「大好きで欠かさずに食べています」と紹介しているような、そこで食べてしまうと他のアイスがみんなかすんでしまうようなお店だった。もしもそこが引っ越したらお母さんも引っ越すのではないか、とお母さんのまわりの人は、私も含めて本気で思っている。

そこでアイスを食べるのが、お金のかからない女ふたり、私たちの唯一の贅沢だった。

そのお店はアイスの質を大切にしていて風味が落ちるからとテイクアウトがあまり推奨されていなくて、しかも季節が変わるごとにメニューも変わるので私たちは通うのに忙しく、決して味に飽きることはなかった。

そこでついでにオーガニックな食材も買えるし、香りたかいオリーブオイルも買える。私は私の携帯電話に、店からのメール配信の登録をした。新しいメニューが出ると、私のメールにすぐ情報が届く。それで私はお母さんに電話をして待ち合わせる。そういうたわいないことでふたりはしんからしっかりとつながっていた。

私たちは、店の中の小さなベンチで並んでいっしょにアイスを選び、食べる。その間に一日の大切な話はたいていみんな済むから、それ以外の時間はあまりしゃべらなくても安心して気ままに過ごすことができた。ふたりだけだといっしょに晩御飯を食べることもせず、どちらかが作ったものをどちらかがちょっとつまむというようなことも多かった。

そう、うちは最近ずっと、母子家庭みたいな状態になっていた。

お父さんが日本にいるときというのは、うちの家族にとって今やお祭り期間のような珍しいものになっている。

お父さんがいるときは、お父さんが仕事から帰ってくるまでにアイスはテイクアウトにして急いで家に帰る。そしてお母さんがごはんを作るのを手伝うのだ。お父さんがいるときはいつでも夕食は豪華で、ちょっとあぶらっこく、肉が多い。それに彼が日本食に飢えているので、たいていは和食になる。それから、必ず三人で食卓を囲んで、話をしたり、TVを観たりして、とても家族らしいお祭り期間になる。

お父さんがアメリカに行ってしまうと、またいつもの、アイスと粗食の日々が始まる。

そんなふうに最近日本にいないことが多い私のお父さんは、この同じ町でアンティークと雑貨のお店をやっている。

このところ若者のあいだに起こった骨董ブームのおかげで、お父さんの店はとても忙しくなった。

今まで年に一回で充分だったのに、最近はしょっちゅう買い付けに行くようになった。骨董だけでなく、そんなに古くない時代のかわいいポットだとか、新しいけどちょっとカントリー風に見えるテーブルクロスだとか、そういう雑貨も仕入れて店に置くようになったら、お父さんの店は雑誌などで紹介されるようになり、休日にはわざわざ遠くから来る人もいるようになった。

そしてものが売れているぶんだけ、お父さんは忙しくなった。

昔は趣味半分でのんびりとやっていたお店が、いまやちゃんと商売になっていたからだ。おかげでうちはちょっとだけ裕福になり、お金の心配で月末深刻な雰囲気になることはなくなった。そしてお父さんはちょっと帰ってきてはまた仕事の続きだといって出かけていき、最近ではアメリカにいることのほうが多いようになっていた。

しょっちゅう行くぶんだんだんつながりもできてきて、お父さんは向こうにある決まったお店と取引するようになって、そこからいい感じの、お店に合うものを輸入して、こちらがわの担当をしている共同経営者のおじさんに船便で送ってくる。その作業だけで、品物の回転が速い最近の一年はあっという間に過ぎてしまう、そういう感じだった。

そういう流れがうまく軌道に乗って流れがつかめるまでは、行ったり来たりになると思うし、今はそれが楽しいから、とお父さんは言っていた。

もちろんお父さんはそうなっても変わらずに家族思いだった。私とお母さんにはいつでも小さなかわいい贈り物とか「家のあの場所にこれを置くといいと思う」なんていうでっかい飾り物だとかを送ってきた。

「こういうのを送ってくることで家の中に自分のテリトリーを失わないようにがんばっているんだね。犬がおしっこをかけてまわるのとあんまり変わりないね。」

なんていうふうに、包みを開けるたびにちょっと皮肉っぽくお母さんは言っていた。

「お母さん、淋しくないの？」

と私が聞くと、

「長い人生、こういうときもあるわ。」

とお母さんはいつも言う。

でも、家の中は最近いつでもしんとしていて、いるはずの人がいない家独特の感じがあった。

私たちはお父さんのように生活をがんがんと楽しむタイプではなかったので、なにごともなく小さく静かに暮らして充分に満ち足りてしまう。私とお母さんは精神的なものでいつでも頭をいっぱいにしているタイプだった。

たまに私にとお父さんがものすごくかわいらしい、でも古い幽霊がついていそうなアンティークのドレスなどを送ってくるが、そういうのが全然嬉しくなくて、近所のお寺でお祓いしてもらって、捨てるわけにもいかずにしまいっぱなし、私はそういう女の子だった。

お父さんとしてはレースがついていてアンティークドールみたいなそういう服を着た娘が男の子とデートに出かけたりしているのを知って、やきもきしたりしたかったのだろう。

お父さんのそういう、単純でかわいくて現実に強いところが私は大好きだったけれど。

だからこのところ、いつでも私はお祈りしていた。

お父さんとお母さんがこのままになって別れてしまいませんように……。

このままだとそういうことになりかねない、というかすかな不安が最近私の心にはいつでもあったのだ。まるで冷たい空気に触れてひやっとするような感じで、いつでも心のどこかに、その心配がひっかかっている。

心配が心に満ちてくると、お父さんの笑顔が、すごく遠いものに見えてくる。お父さんが普通にうちにいた日々も。

ふうっと意識がかすむようになって、考えに焦点が合わなくなり、ちょっと背中が寒くなって、もう考えるのをやめるのだ。

厳密には私はもう子供ではないから、そういうときには子供の頃の自分がうらやましくなる。世界は自分が中心で、お父さんとお母さんは私だけのためにいて、私がいるかぎり絶対にふたりはただそれだけで幸せだったはずだったのだ。

それは幻想だとしても、きっと、人類の持っているたくさんの幻想のなかで、もっとも強烈なものに違いない。もしかしたら、それだけで人が一生生きていけるほどのものかもしれない。

一人っ子のうえに大人に囲まれて育った私には、学校でちょっと楽しく過ごしたりたまにいっしょに出かけるという以上にすごく親しい友達はいなかったが、特にいじめられることもなく、そういうことがあまり気にならなかった。お父さんやお母さんの友達の子供たちがいつもまわりにいて、その子達は多少歳にばらつきはあってもしょっちゅう会ったりメールをしたりして、ゆるいけれど長いつきあいになっていたからだ。

そして、日常の中で唯一がんばって通っていたのは絵の教室だった。

私は将来何になりたいというのもまだなくて、このままだと美術系に行くしかないよね、というくらいに、その教室には長く通っていた。小学生になるときくらいから、ずっと続けていたのだ。

でも、私はまわりに絵を描く人が大勢いたので、あまりその仕事に憧れなかった。だから、自分の楽しみのためだけに絵を学んでいた。それでいいと思う、とお父さんもお母さんも言っていた。

その教室では私が最年長で、あとはみんな小学生や幼稚園児ばかりだった。だからそこでも私には友達と呼べる子は特にはいなかったのだ。

絵の先生に恋をするなんて、なんていう平凡なことだろう。

でもその先生が私の恋の相手だった。名前は久倉先生だけれど、私たちはみんなキュウくんと呼んでいた。年は二十代後半で、自分の作品を売って生計をたてているプロの芸術家だった。

キュウくんがその教室の先生になったのは、二年前のことだ。

これまで教えていた教室を開いていた家の持ち主のおじいさん先生が引退して、代わりに彼がやってくることになったのだ。

キュウくんはもともとその教室に幼い頃通っていて、とてもそれが自分の才能を育てるのに役にたったので「子供に絵を教えたい」と強く希望して、先生として戻ってきたそうだ。そんな事情でキュウくんをむかえたとき、説明をするおじいさん先生は、とても誇らしげだった。

これまでのおっとりとしたおじいさん先生の教え方と違って、キュウくんの教室はぴりっとしていて刺激的だった。そして新しいことをたくさん教えてくれた。

どんな絵を描いても絶対に文句を言わないし、直さない。それはこの教室のもともとの方針だった。そしてさらにキュウくんは私たちの個性を大切にして、絵をどこにも誘導しようとしなかった。もしも誰かがわざと彼好みの絵や彼の作品に似た絵を描いたりすると、どならんばかりに怒って、そして誰よりも彼がうんと傷つく。小学生たちになぐさめられたりしながら、彼は「なんでもいいから、線一本でもいいから、自分の絵を描いて。ピカチュウも禁止。アンパンマンもだめ。」といつも泣きそうな顔で言う。

「それがその人のいちばん描きたいものならいいんじゃないの？」と私は思うので、それに、小さい子なんかはそういうのを描いているとうんと楽しそうにしているので、そう言ってみたことがある。おじいさん先生のときはそういうのがオッケーだったのだ。

でも、そこだけは彼はゆずらなかった。

「僕は経験上、嘘の絵をひとつ描いたら、絵を描くことから一歩離れるだけだということを知っている。家で描くなら何を描いても楽しければいいと思うけれど、ここでは、どうしてもその手助けはできない。」

と彼はまじめな顔で言った。

「他の人はそういうやり方でもできるのかもしれないけれど、僕は、それをいいって言ったら、自分の作品までわからなくなってしまうから、自分のためにもできないんだ。だって、ピカチュウは絶対に黄色いし、ドラえもんは青いでしょう？　そこに自

分が入る余地がなくなっちゃうもん。」と。

そうやってまじめに答えてくれたので、私は「大人の人にただ考えを押し付けられている」という気持ちに決してならなくてすんだ。もしどうしても描きたければ、自分の作品の中に描きたいものをなんとしてでも組み込むくらいの気持ちがあったら、きっとキュウくんは認めただろうと思う。そういうところが真剣勝負だったから、「あなどられていないこと」そのものが楽しかった。大人が真剣に自分たちの絵を楽しんでくれているということだけでも、子供は嬉しくて、もっと描こうと思うものだ。

私は、自分の考えを抽象画にするやり方を彼に教わった。思春期を迎えていろいろな変化があり心と体がばらばらになって、足場がどうにもはかなくなっていた頭でっかちの私にとって、それは心強い武器になった。

「自分の考えをよく見てみると、きっとそれぞれに色があるだろう？　色として見えなかったとしても、しいて言えばどの色に置き換えられるかは想像できるだろう？　それをどんどん塗っていってみたら？」と彼は当然のことのように言った。

私はそう言われてはじめて、自分の考えに色があるということを自覚することができた。

それで私はどんどん色を塗って、夢中で考えを紙の上に置き換えていって、苦しいときには苦しい色を、でもやっぱりちょっと楽しくなりたいから楽しい気持ちの色を、探していった。そうやって体を動かしていると、頭の中だけが熱くならなくてすんだ。

そして私が「ここにはペパーミントの色を入れたほうがバランスがいいだろう」なんて思って、実際に自分では思っていないようなことでも塗ってしまうと、なぜだか彼にはそれがよくわかるみたいだった。何がいけないのかうまくは言えないけど、この色だけなんとなくじゃまに見える、と彼はたいていのときはっきりと言った。彼が見破れないときにはなんとなく私はがっかりしたけれど、そうやって人をためすことの醜さに自分で気づいて、もうそういうことはやめた。

そうやって何かを突き詰めていくことが、行き止まりの道だけじゃないということを、絵の先生としてのキュウくんは教えてくれた。

私のキュウくんに対する気持ちの下地は、そうやってゆっくりとできていたのかもしれなかった。

さて、その秋の……ある、なんの変哲もない午後のことだった。

絵の教室の窓のところには、月下美人というサボテンのような植物が飾られている。経営者のおじいさんの奥さんである上品なおばあさんがいつでも大事に大事に世話をしていたので、その月下美人はものすごく見事に色つやもよく、大きく成長していた。

花が咲く前にすごい匂いがしてくるのだけれど、数時間しか咲かないし夜しか咲かないので、一回も咲いているところを見たことがない。もうすぐ咲きそう、というところで家に帰るのが常だった。そして次に教室に来るときには、夜のあいだに咲いてしまっていてすでにしょぼくれたつぼみみたいなのがだらんと下がっていることもあった。そしてうっすらと甘い香りが残っていた。安い香水に似た、でももっともっと濃い匂いだった。

月下美人はただでさえとても奇妙な外見で、葉が作り物のように分厚くて、茎がぐいんと上に伸びて、なんだか彫刻のような植物だった。あまりにも存在感があったのでその鉢はこの教室全体のシンボルみたいになっていて、年に一回はみんなで「花の咲いてるところが描けなくて惜しいね。」と言い合いながら、写生したものだった。

うちには小学生のときからずっと、何枚も、この月下美人を描いた絵がとってある。植物がちょっとずつ成長して姿を変えているので、そして私の絵にも上手になったところと失われたものが同時にあるのがわかるので、みんな並べて見るととても面白かった。お父さんが出かけがちになった三年前の絵を見ると、同じ月下美人でもなんとなく柔らかく、私の心をなぐさめようとしているみたいに優しいタッチで描いてあるのだ。自分では描いているときはそんなことに全然気づかなかったのに、作品というものはほんとうに正直だった。

とにかく私はその午後ちょっと遅刻して教室に入って、キュウくんに会釈をした。彼はうなずいた。

私は席につき、騒がしくしないようにそうっと絵の道具を出して、昨日まで描いていた絵の続きを描き始めた。教室の中は静かであたたかく、絵に集中しているうちに私はなんだかぼうっとしてきた。目を休めようとしてふと顔をあげ、ぼんやりと窓の外を眺めているときに、それは起こった。

月下美人の植木のわきから、小さい人間が走り出ていったのだ。

その人間は、すっと窓の外に消えていった。緑色の服を着て、はだしだった。目が、くりっとしていた。

「あ!」と私が小さい声で言い、まわりを見たら、キュウくんが声を出さずに「あ」という顔をしてそっちを見ているのを見つけた。

あとの人たちはどうしてだか全員、少しも顔をあげなかった。

そして、ふたりは同時に窓の外を見上げた。

窓の外でも何かが起きていた。

なんだかわからないが空がぴかっとまぶしく光って、空からさあっと金色の粉が、まるで雪みたいに静かに降ってきたのだ。ふわふわと、風に舞うようにして窓一面に。

「雪みたい……。」

同時にそうつぶやいて、私たちは顔を見合わせた。

ふたりが口にしたことはたったそれだけ。

そして、ふたりは同時にもう一回、月下美人を見て、何もないことを確認した。

それからふたりは全く、そのニュアンスまで同じふうに「今、確かに見たけど、誰にも言うのよそう」と思いあった。お互いが寸分もたがわずにそう思ったということまで、お互いわかった。

そして、全く同じことを考えていたそのとき、彼の目と私の目はひとつの体についているひとりの人間の目のように、同じだった。

そしてふたりは何でもないふうに、それぞれの仕事に戻った。私は絵の具を塗りまくり、彼はみんなの絵を見て回り始めた。

それでも、私の目にも彼の目にも、あの小さい妖精のようなものの姿はやきついていた。

まだ胸がどきどきして、それは止まらなかった。

そして私はなんとなく感じていた。

「なんてかなしい！　このことはもうきっと、一生に一度しか起こらないんだ」と。

窓枠は光を反射して冷たく光り、外に見える木の枝は焦げたように茶色だった。淡い光が手元を照らしていた。

私はきっと一生秋が好きだろう、と私は思った。私は人と……特に男の人と何かをわかちあったのは初めてだった。こんな大切な何かを。

あの人は信じられる人だ、と私は思った。あの人のことをもっとよく知りたいと。

〝はい、あとは現実が、その重みが、その生臭さが待っているだけでした〟

本当にそうだろうと確信した。

でもあの一瞬は、私の人生にとってあるべき輝きだった。まるで光がぱっと射したような魔法の輝き……すべてが、あるべき姿のままに、むきだしで答えを見せていた。

私はずっと探していた、いろいろなレベルや目に見えないものもあるこの世界の中で、すべてがほんとうの姿を見せることはないのか？　と。そしてそれはほんの一瞬、恩寵のように訪れたのだ。

その答えとは残念ながら「私と彼は結ばれる」というようなインチキなものではなくって……。

この一瞬はまさに永遠で、ふたりは魂のままの姿にうっかりなってしまい、ただその心の目で同じものを見て、同じところに存在したということ。別々の人間がたまたまひとつになった、それは本当に美しく、ありえないはずの瞬間だったのだ。

私の目には涙がにじみ……もうその気持ちを抑えてはおけなかった。

なにがなんでも、なにかの形でこれを人生に組み込まなくちゃ、そういういやしいようなあせりのような、どうしようもない消せない気持ちでいっぱいになったのだ。速くなんとかしないと、とりかえしのつかないことになってしまう、そういう気持ちだった。


「あの、もっとよく知りあいたいんです。よかったらもう少し親しくおつきあいしてもらえませんでしょうか。」

次の教室が終わったとき、私がキュウくんにそう言ったら、彼はあまりびっくりしなかった。とりあえずものごとにはびっくりしないように決めているという感じで、そういうところもすてきだと思った。

「いや……悪いけど、さすがに小学生とは恋愛できないなあ。」

彼は言った。

「失礼ね、背は小さいけど、中学生です。」

私は赤くなって言った。

「でも、夕子ちゃんとつきあったら、僕は絵の塾の先生をくびになると思う。」

キュウくんは言った。

「どうしてそういうことを言うの、私が知りたいのは先生の気持ちです。」

私は言った。

「苦しくて、なんだかもう苦しくてしかたがないんです。私の思っていることが錯覚なのかどうか、ただそれだけが知りたいんです。」

そのとき、キュウくんは本当にしまった、反省したという顔になった。そして言った。

「あのとき、このあいだ、光やなにかを見たとき、ふたりきりだったとき、何かを感じたのは確かだ……僕には、一瞬、君が二十四歳くらいのお姉さんに見えた。そして、ふたりで暖炉の前にすわっているような不思議な気持ちになった。その感じを帰ってから作品にしようと思って、絵に描いてみたくらいだ。ごめんなさい。それがほんとうの気持ちです。君にはごまかしはきかないみたいだ。」

「よかった、私の思うのと同じだった。」

私の目からは涙がこぼれた。

「私は、絵が大好きです。でも、絵は自分でも描けるから、教室をやめます。だから、もしよかったらまた、会ってください。いつでも、気が向いたら連絡してください。」

そう言って私は自分の携帯電話の番号を渡した。

彼はしぶいものを食べたような顔をして、黙ってそれを受け取った。

彼の手の中にその白いメモが吸い込まれていくのを、私はじっと見ていた。


ほんとうはやめたくなんかなかったのだ。

あの部屋の中で、みんなで黙って絵を描いている時間が好きだった。沈黙がまるでおいしい果物のように熟していく感じや、たまにちょっとしゃべると、まわりの子がぐっと近くきれいに見えることとか、そういう全部のことが。

でも、もう全部が変わってしまったから、あきらめようと思ったのだ。最後の日、私は月下美人のわきをじっとじっと見つめていたけれど、何も出てこなかった。奇跡は意識してないときに一回しか起こらないんだ、きっと。そう私は思った。でも、あの小さい人はきっとあそこにいるんだ。いつだって。

世界はきっと、目に見えないこともいっぱいにつまった風船みたいなものだ。

だから、なるべく全てに心を開いていたい、人間にだけではなくて。

そういう感じが生き生きと実感できた。もしも心を開いていたら、生きているあいだにいろいろな奇跡を目撃できるかもしれない、そう思うだけで心が躍った。

その頃の特別な季節のアイスはライチだった。

私とお母さんは「これを食べることができるのは今だけだもんね。」と言い合って、毎日飽きるほどそれを食べ、たまにはチョコやラムレーズンも食べながら、お互いのことを話した。でも、私はキュウくんのことは言わなかった。これまで少しばかり男の子を好きになったとき、私はいつでも軽々しくいろんな気持ちをお母さんに打ち明けたし、お母さんも楽しそうに聞いてくれた。だからそういうふうに黙っていることははじめてだった。

自分でもその違いのほんとうのところはよくわからない。うまく言えるはずがないと感じていたからなのかもしれない。

「どうして絵の塾をやめてしまったの？　誰かとけんかでもしたの？」

その日、ライチアイスをなめながら、ふいにお母さんが言った。

「うん、ちょっと気まずくなることがあって。」

そう言った私の目からは思わず涙がこぼれた。

人を好きになるとこんなにも、つらいけれどいい涙が出るなんて知らなかった。私が泣いたので、お母さんはもっと聞きたい気持ちをぐっとこらえた。

彼からはもちろん連絡はなかった。

私は毎晩、電話の電源を切らずに眠った。そしてもちろん朝、着信がないのを見て、がっかりとする。気持ちが暗くなって、また「待つ」一日がはじまってしまう。それは来ないものを待つ一日だ。待つ一日の窓はいつでも暗い。そしてなにをするのもとってもみじめだ。

私ははつ恋も絵も失ってしまったのだった。別の教室をさがそうと思ったけれど、今はまだそんな気持ちになれなかった。

毎週火曜と金曜になると、ああ、今頃あの教室ではみんながさらさら絵を描いたり、絵の具をまぜたり、パレットを洗ったりしてるんだ……と思った。今、あの場所に行ったら、キュウくんがいつもどおりに部屋の中を歩いている。真剣な目で、誰かが自分にうそをついている絵を描いてやしないかと、目をしっかりとあけて、気持ちもちゃんと使って、絵を描くのをじゃましないように静かな足どりで見て回っている。

そう思うだけで、涙が出た。もう私は人生の大切な道をはずれてしまって、いつのまにかひとりきりになったみたいな気がした。そして、なにかとんでもない間違いをしでかしたような感じがした。

「ちょっとしたもめごとがあったの。でも、絵は好きだから、ほとぼりが冷めた頃に、またはじめようと思うんだ。」

私は言った。キュウくんが先生をやめた頃か、私がすっかりこの気持ちを忘れた頃に。

「そう……。でも、好きなことだったら、いつでもまたはじめようよ。言いたい気持ちになったら、何があったのかいつでも言ってね。」

とお母さんは言った。

もう聞かないかわりに、絶対に言いたいというサインは逃さない、そういう目をして私をしっかりと見て、親の魔法をきちんとかけた。

いつのまにかお母さんの知りたいことをしゃべってしまうそのシステムを、私は「親の魔法」と呼んでいた。私がお母さんの子供であるかぎりきっと一生、絶対にそれからは完全には逃れられない。

お母さんの感情表現はいつでもそういうふうで、とても地味できっぱりとしていた。すごく心配しているようにも見えず、ただ余地を残すだけだった。それは私だけにでなくて、お父さんにもそうだったから、それはお母さんの性格だったと思う。

そういう時、キュウくんに対するあの近しい感じとはまた違う感じで、お母さんと私は同級生で、学校の帰りにアイスを食べているように思えた。魂というところから見たら、きっとあんまり変わりないのだとさえ思った。立場とか、歳の差とかはあまり関係ない。

それに三人しかいない家族だと役割はそれぞれがしっかりになっていて、私がお母さんに何かきっぱりとしたアドバイスをできることもたくさんあった。たとえばお父さんに電話してたまたま留守だと、もう意地をはってかけなくなるお母さんに「あと一時間したらかけようよ、私がお父さんにしゃべりたいことあるから。」と子供らしさを装って言うのも、私ができることだったりした。

でも、そういうこととは別に、現実は容赦なく見た目にすべてを表してしまう。私は絵の先生にのぼせているたんなる十四歳、お母さんは年齢的にも見た目もお母さん……そうやって、私の感じている世界を押し流すように型にはめていく。

そういうことについて毎日私は考えて、そういうのを超えたものを見たと思った瞬間に、突然、恋をしたのだろうと思う。


二週間後の夜の十時、ベランダで洗濯物を取り込んでいるとき、電話がかかってきた。ガラス越しの私の部屋の中で、携帯電話がぴかぴか光っていたので、気づいたのだ。もうすっかりあきらめていた私は、反射的に室内に入って電話を取った。

「もしもし、久倉ですが。」

キュウくんは言った。

「はい、飯塚夕子です。」

私はどきどきして涙が出てきた。どきどきして涙が出るうちは相手のことなんかよく見てないものだ、と人生相談には書いてあるけれど、私はそれどころではなかった。待っていた時間のためにあるどきどきだったのであって、相手のためなんかではなかった。ましてやそれは私のためにあるのでもなくて、もう独立した存在だった。

「あの、このあいだのことだけれど、あれこれ深く考えないで、もう少し夕子さんといろいろ話をしてみようと思うんです。」

「もう絵の教室はやめたので、大丈夫です。」

「いつ会えますか？」

「いつでも、明日でも、あさってでも。」

「じゃあ、あさって、北口の古い喫茶店でお茶でもしようか。」

「ああ、あのおじいさんとおばあさんがいるとこ？」

「そう。植物と店が一体になってるとこ。」

「わかりました。」

「午後三時ごろはどうだろう？　土曜日だけれど。」

「大丈夫です。」

「じゃあね。おやすみ。」

「じゃあおやすみなさい。」

　私は電話を切り、残りの洗濯物を取り込んだ。でも、さっきとは全く違っていて、洗濯物をじっくりとたたむ気になんて全然なれなかった。急に回りだした私の心の中の光についていくので精一杯だった。こんなテンションで空を見上げたら、円盤くらい見えるかもしれないと思って目をこらしたけれど、全然見えなくて、星がまたたいて気持ちいい風が吹いてくるばかりだった。

どれだけ電話を待っていたか、私は自分の軽くなり方でやっとわかった。まるで重い荷物を降ろしたような、目の前のドアが開いたみたいな、そういう気持ちだった。

その古い喫茶店のぎゅうぎゅうづめの席で、私たちははじめてふたりで向かい合った。

そうやって日常の中で会うと、場慣れした彼と子供である私の間には、しっかりした現実が横たわっていた。

私はひとりで喫茶店に入ったことすらなかったからだ。

「ブレンドってどういう味？　カフェラテはないの？」

などという私に、キュウくんは優しくいろいろ教えてくれた。酸味があるのが好き？　苦いのが好き？　薄いのが好き？　とキュウくんは私にいろいろ聞き、「苦くて濃いコーヒーにミルクをいれるのが好き」という私の好みにぴったりのコーヒーを探してくれた。それはほんとうに私の好きな味だったので「これでコーヒーを好きになることができた」と私は思った。キュウくんは人に教えたり、自分の好みを押しつけずに人の好みをひきだすのが上手だ。それは教室でいつも感じていたことと同じだった。

「キュウくんには今、私と会っては問題があるくらいに親しいガールフレンドはいるんですか？」

私は聞いた。

「すごく好かれてる人がひとり、すごく好きな人がひとりいる。どちらもそう簡単には切っても切れないあいだがらで、かといっていっしょに暮らしているような人はいません。そして、恋人と呼べる人は、自分では今はいないと思っています。」

キュウくんは答えた。

「じゃあ、私とたまに会っても大丈夫ですね。」

私は言った。私には、人がいやだと思うことは絶対にしたくない潔癖なところがあった。それはお母さんゆずりの一面で、お母さんはすごくそういうことを大切にする。

キュウくんは笑って、

「そうだ、できればずっと、僕に絶対に『私たちってつきあってるの？』って聞かないでくれる。ただでさえ、僕は自分が君とふたりきりで会っていることに動揺してるから。」

「絶対聞かない。」

私は約束した。

「でも、ふたりが何なのか、興味あることはある。どうして私がキュウくんのそばにいたいのか、わからないから。どうして神様があんな場面を見せたのか、わからないから。」

「ほんとうに、なんだかメキシコの宗教画みたいな光景だったね。」

キュウくんは言い、私は、私たちがわかちあった何かが全く同じように見えていたことがわかった。あのとき、世界の全ての色彩がぎらっと濃くなり、異様な光を帯びていたのだ。

そして彼の自然さから、私は確信した。純粋に年齢的な理由から、彼は私にキスしたり、私を抱く気は全くないということが。そういうことをはなから投げているから、会おうという気持ちになったのだ。そうわりきれると、ちょっとがっかりしたようなほっとしたような両方の気持ちがあった。

私にわかることはたったひとつ、時間が流れていることだ。それは、あの瞬間をどんどんうすれさせて、残骸にしてしまうということだ。

それでも、私もキュウくんも少し当惑していた。これから、何をどうすすめればいいのか……絵を描くことがあいだに入っていたときは、まだよかった。もしかしてそんなにひんぱんに会うことはなく、少しずつ、数ヶ月に一回とか会って、親しくなっていくしかないのかもしれないな、私もまだ若いし（若すぎる）、それしかないのかも。いつも小人を見ているわけにもいかないものね、いつも見えていたら、そっちの世界が濃くなりすぎて、現実の世界を生きるのがむつかしくなってしまうもの。……そういう現実の重みとくだらなさにちょっとがっかりしながら、私は思っていた。窓の外にピラカンサが真っ赤な実をこんもりと、ぶどうみたいにつややかに実らせているのが見えた。この赤は冬じゅう、この店の窓に見えるだろうな、と思った。そういうことが私にはいちばん大事なことだった。そのむこうにはやっぱりきれいな空が見えた。

まるで絵みたい、と私はその色の対比を見て思った。

でも、もしもこれを絵に描いて、それが生のこの窓辺を見ているよりも生き生きして感じられなかったら、それはもう全然意味がないということだ。

この窓辺を知らない人にも、このときめきが……光に照らされた赤と透明な青の生きている感じを伝えることが、きっと絵を描くことだ。そう思うと、私はやっぱり絵を描く仕事はむつかしいかもしれないな、と思った。私は見るのが好きで、消えていくものが好きだからだ。そう思ったら、絵画教室に対する未練みたいなものがすうっと消えた。

いずれにしても私はまだ十四歳で、なにに向いているかをゆっくりと考えることができる。そしてそれを考える上で、キュウくんはとても大切な存在だ。それだけははっきりとわかっていた。


「僕、これからちょっとそのあたりの骨董屋に小皿を見に行くけど、来る？」

キュウくんは言った。

「行く！」

私は答えた。

「小皿って、お料理をするんですか？」

と聞くと、

「ううん、作品にかけらをつかうかもしれないから、いい柄の安いのがあるかどうか見にいくだけ。」

キュウくんは言った。

「和柄でなくていいなら、私のお父さんのお店にもお皿があるよ。」

私は言った。

「和柄を探してはいるけど、お皿だったら、なんでも見てみたいなあ。夕子ちゃんのお父さん、骨董屋さんなの？」

「そうです。お母さんは、自然食のレストランの上にある変わった本ばっかりある本屋さんで働いていて、この町に密着した夫婦なんです。あ、でも店にお父さんはいないので、緊張しないでね。お父さんはアメリカに買い付けに行っています。」

「アメリカのどこ？」

「今は、フロリダにいるって言ってたけど。」

「そうか……夕子ちゃんにはお父さんがいないって勝手に思い込んでいたけれど、そういうことなのか。」

「なんでそう思い込んだの？」

「絵を見て、なんとなく。」

キュウくんは言った。

そうか、絵に出てしまうんだ……と私はしんみりした。お父さんがいないことに対する私の気持ちを、絵が語ってしまうんだ。もちろん見る人が見ればだけれど。

私は今、はために見ても、お父さんがいない女の子なんだな、と私は思った。やっぱりそうだったのか。

お父さんの店にはお父さんの親友のおじさんがいつものようにいて、

「おお、夕子ちゃんがボーイフレンドを連れてきた。お父さんに言いつけるぞ！」

などと言ってはしゃぎだした。

おじさんはバンダナを巻いて高そうなＧパンをはいていて、奥さんは元モデルのアメリカ人で飲むのはいつでもバドワイザー、というようにいかにもな人だけれど、ハートがとてもあたたかく、若い頃めちゃくちゃ遊んだだけのことはあって、とてもかっこよかった。お父さんに長く会えないとき、このおじさんに会うと私はほっとする。

「買わなくてもいいからね。気をつかわないでね。」

とキュウくんに言って、私は自分の好きなアンティークのビー玉やレースを見ていたが、キュウくんは夢中でブリキの鍋しきだとか、昔のキルトのきれっぱしだとか、アフリカのビーズなんかを買い始めた。連れてきてみてよかったなあ、と私は思った。キュウくんの作品の中に、私とここに来た今日の日が、日記のようにおりこまれたら、どんなにすてきなことだろう。

それで、何年かたってみたら、この気持ちがみんなよみがえってきたとしたら、それこそが私の思っている人生というものに近いという気がした。

「お父さんから連絡ありました？」

私はおじさんに聞いてみた。おじさんは言った。

「年内は帰れないかもしれないけど、お正月あけには帰りたいなって言っていたよ。」

「そうかあ……また、お父さんのいない正月だ。そうすると、お母さんのおせちがどんどん手抜きになるからつまんないなあ。」

淋しいという言葉をあえて言わずに、私はそう言った。

「雑煮が食べたいから一月中には帰るって言ってはいたよ。」

「夕子に会いたいからじゃなくて、おもちかあ。」

「照れて言えないだけなんだよ！　おじさん世代の、お年頃の娘に対する気持ちって、すごく複雑なんだよ。かっこ悪いからあまり干渉したくないし、かといって自分がずいぶん遊んだから、男が女の子に対してどんなにろくでもないか知ってるから、どうしてもやきもきするしさ。わかってやってよ！　まあ、あいつは昔から俺よりはもてなかったけどな。」

おじさんは笑い、私もそう思えて少し楽しい気持ちになった。

おじさんはこういうときは気持ちを明るくしてくれるけれど、たまにすごく無神経に、

「奴は昨日本場のカリフォルニアワインを飲みすぎて、立ち上がれないほど二日酔いだって言ってたよ。」

とか、

「向こうの店の人とすっかり仲良くなって、しばらくホテルをひきはらってその夫婦の家にステイして、毎日のように、国立公園にトレッキングに行ってるらしいよ。」

とか、聞くとちょっとときゅんとなって、お父さんだけのためにいるお父さん、妻や子供のいない男としてのお父さんの人生がぐっとリアルにせまってくるようなことを言う。焼きもちではなくて、もっともっとはかない感じがしてくる。まあ、簡単に言うと捨てられたような気持ちというか。

そういうとき私はおじさんに笑って「いいなあ！」とか「そうなんだ〜！」とか言うのだけれど、胸のうちはしくしく痛んでいる。帰り道に夕空や川でたわむれる鴨なんかを見たら忘れてしまうくらいの痛みなのだが、私たちがいなくても心底楽しそうなお父さんの場面は、いつまでもちくりと残るのだ。

お父さんの店からの帰り道で、その出来事は起こった。

川を越えて住宅街を駅に向かって歩いていたときのことだった。

私とキュウくんは、何かどうでもいいことを普通にしゃべりながら歩いていたが、そのとき、ふっとふたりとも何かを感じて黙った。

前方で、何かすごいことが起きているという感じがした。駐車場のところにある木の根っこのところが、なんだかわからないがぴかぴかと……いや、それはぎらぎらやめらめらに似た光だった。そういうふうに光っていたのだ。イメージとしては、かぐや姫が竹に入っているような、そういう、かつて見たことのない光りかただった。

そこには何かとてつもないエネルギーの放出と炸裂があった。

私とキュウくんは顔を見合わせて、木のほうへ歩いていった。すると、そこには野良猫が倒れていた。

「病院に連れて行く？」

私は言った。

「いや、これはもう、だめだと思う。」

キュウくんは言った。

猫の目はもう瞳孔が開きかけていて、胸ははげしく波うち、口ではあはあと息をしていた。それなのに、全身が何かすごい力と光に包まれ、それはまるではるばる遠いところからこの世に生まれ落ちてくるかのようなようすなのだ。

せめて水でも飲ませようか、とふたりが水を汲みに行きかけたときふいに、まるで電気が消えたように、あたりの空気が元に戻り、少しだけ暗くなった。

「あ、命の光が消えた。」

鋭い目、観察をする人の目のままでキュウくんが言った。

猫は死んで、全ての動きが止まっていた。そして、どこからともなくやってきたハエが、あっというまに猫にたかりはじめた。

私はかばんの中をごそごそと探して、ハンドタオルをそっと猫にかけた。

そんなことをしたら猫の気高い死がけがれるような気がしたけれど、居合わせてしまった人間という種類の生き物としては敬意を表すのにその形しかできることがなかったので、そうした。

「すごい……死ぬときは、すごく激しくて、生き生きとしていて、きっと生まれるときと同じなんだ。」

私は言った。

「私は、魂が体を離れる瞬間を初めて見た。」

それはとても厳粛な気持ちだった。行きずりのあの猫が、私たちにたまたま、あの猫にとって一回しかない一瞬を見せてくれたのだ。

「実は僕も初めてだった。僕のおやじでさえかけつけたときは、もう死んでいたし……でも、あんなに輝いて、放出して、力に満ちているなんて。もっと消え入るようにふうっとなくなっていくものかと思った。命って。」

「ねえ、ああだったら、そんなにこわくないね。それに、親しい人が死ぬことも、予想よりは悲しくないかもしれないね。」

私は思わずキュウくんの手を握ってそう言った。

「うん、僕もほんとうにそう思った。おやじの死を前よりもいいふうに思える気がしてきた。」

土の上には私の花柄のタオルが猫の形に盛り上がっていて、またも戻れない時間が過ぎていくのを示していた。

「なんか、僕たち、いっしょにいると変なもの見る相性なのかな。」

キュウくんが言った。

「私たちが変なものに引き寄せられていっているのかも。」

私は答えた。

「あるいは、変なものたちが私たちの組み合わせを気に入って、呼んでいるのかも。」

そしてふたりはしんみりとうなずきあった。キュウくんの手は乾いていて、温かか

った。

「あなた、ずいぶん年上のボーイフレンドがいるのね。」

お母さんはそう言って、目を丸くしていた。

キュウくんの好きな食べ物がアイス、しかもあの、お母さんの行きつけの店のアイスだということを知ったときから、いつかそんな日が来るという気はしていたけれど、まさかお母さんが午後のお茶休憩にもアイスを食べに来るとは思わなかったので、ちょっと動揺した。これでそ知らぬ顔をして、夕方も私とアイスを食べたりしているなんて、主食じゃん、お母さん、そんなにもアイスが好きなんだ……お酒も飲まず、タバコも吸わないお母さんにとって、きっとアイスは唯一の娯楽なんだろうなあ……あせるべき状況なはずなのに、私はそんなことをぼんやりと思っていた。

「絵の先生の久倉くんです。」

私は紹介した。キュウくんはアイスを食べながら立ち上がって会釈した。

お母さんは「なるほどね、これでこのところのことが全部わかったわ」という顔をした。そして私たちと同じ、ミルクのアイスを注文した。

それからは気まずい沈黙が流れた。

私はもともとさほどのアイス好きではなかったので、ふたりを見ていたら味がわからなくなったくらいだった。そしてそのふたりはアイスの中に逃げ込むようにひたすらスプーンを動かしていた。

「どういうつもりでおつきあいしているんですか？」

お母さんは小さい声で言った。アイス屋の店長に聞こえないくらいに。そして、さりげなく。

「私が……」と言った私の声をお母さんはさえぎって、

「あんたの話は家でいくらでも聞ける。」と言った。それもそうだ、もっともだった。

「あの、僕の精神年齢は夕子ちゃんと同じくらいなんです。だから、どういうつもりというのも言えないです。」

本当に小学生の男の子みたいに、キュウくんは言った。

「でもね、その調子で親しくなりすぎるのは、やっぱり黙って見ていられないものなのよ。」

お母さんは困り顔で言った。

「僕も、一応現実を生きているので、子供の絵画教室の元生徒に手を出すつもりはないです。」

「でも、僕は、夕子さんの中に、ほんとうに、どう考えてみても好きとしか言いようのない、気に入っている部分があって……」

キュウくんは言った。

キュウくんはそこでちょっと言葉を選ぶために考え込み、私は真っ赤になっていた。

「それが、どうなっていくのかは、時間をかけないとわかりません。それが正直な気持ちです。僕は、いずれにしても、そう急に人と親しくなったりできないのです。僕は、普通の男の人と同じようなところもたくさんあり、一回キスとかしてしまうと、どうしてもその先に興味を持ってしまいます。だから、今のところ、とりあえずそれはもう全くなし、という観点からおつきあいをしています。自分の中できりがなくなってしまうのがこわいのです。あと、夕子さんの考え方に触れていると、僕が作品を創るのにとても参考になります。それは僕にとってとてもいいことなので、いっしょにいたいのです。今のところ、顔とか、体に関心があるわけではなくって、彼女の中身からにじみでてくる自由な考え方から来る雰囲気が、好きなのです。」

あまりにもキュウくんの言い方が誠実だったので、お母さんが、なるべくそ知らぬ顔、厳しい心でのぞみながらも実は胸打たれているのが私にはわかった。そして私はバカみたいに「この人を好きになってよかった」と思っていた。他の人から見てどうなのかはわからないし、ある意味では「いつ先に進むか」などという肝心などきどきがなくなって失望させられることなのかもしれないが、私にとっては、何一つ嫌いなところのないやり方だった。

「まあ、それで『それなら大賛成』とは言えないですけどね。」

お母さんは言った。

牽制球を投げあいながらじょじょに互いを認めていくふたり。

ああ、なんだかバカみたいに守られているわ、と私はやりきれなく思った。

「僕たちは友達です。それの何を大賛成と言えないのか、僕も考えるから、お母さんも、考えていてください。」

キュウくんは言った。

お母さんはうなずいた。

「じゃあお母さん、夜ね。」

私は言った。

「早く帰ってくるのよ。かけおちなんかしないでよ！」

お母さんはちょっと笑ったので、私はほっとした。

「いいなあ、君にはあんなにいい感じのお母さんがいて。」

キュウくんはまるで子供のままの顔でそう言った。小学生のときの顔が一発で想像できるような幼い表情だった。

「うん、でも普通のお母さんだと思う。ほんとうに、普通の。そこが珍しいっていうくらいに。」

私は言った。

それでも、一見少しもそれを表していないのにとても奥深いお母さんのよさをわかってもらえたようで、ちょっと嬉しかった。

私は何回かクラスの友達や、知り合った同じ年くらいの人に「夕子の家はいいなあ。」と言われたことがある。

「なんとなく自由な感じだし、親も話がわかりそうで友達みたいだし、かっこいい職業だし、いろいろ変わったことをしたいといっても許してくれそうで、私なんかの家とは全然違うわ。」

去年同じクラスでわりと親しかった村上さんにも言われた。

村上さんの目には、普通っぽくない人生へのねたみとでもいうようなものがちらっとだけ宿っていた。それは、お父さんやお母さんのまわりの同じ年くらいの大人が、よくお父さんやお母さんに向ける感じでもあった。お父さんとお母さんのありかたは、いいところだけ見れば最高なんだろうな、と思う。仕事の浮き沈みだとか気持ちの浮き沈みだとか、いちいち繰り返される葛藤だとか、子供がいるのに親という生物になりきらなかったところとか、そういうのをはぶいて考えれば。

でも、お父さんとお母さんは一方の苦労を取っただけで、別に苦労を全くなくしたわけではないのだ。そして大事にしていることがはっきりとしているから、一見すごく楽しく遊び暮らしているように見える。旅行に行ったり、アイスばかり食べたり。まるでうちには大人がいないように見える。でも、そうじゃなくて、大人になり方の道が違っただけなのだろう。彼らが犠牲にしている大きな安定した温かいものについてのいろいろなことを、それをなくしてしまって道に迷い続けているけわしさを、私はずっと下から見あげてきたので、よくわかるのだ。

「うん、わりと楽だよ。まあ、いろいろとあるけどね。」

わざとちょっとだけ暗い調子でそういうふうに言って、もう質問させないような感じにして、私はそのときも話を終わらせた。

でも、言えないことはほんとうにたくさんある。何事もない家なんてないと、私はずいぶん小さいうちから知っていた。類は友を呼ぶので、わりと世間の枠にはまらず自由に生きている両親のまわりの大人たちにも、何かともめごとの多い家族が多かったからだ。

まあ、他の家のことはほんとうにはわからないのでいいとして、たとえばうちのお母さんは、本に熱中したり、何かですごく落ち込んだりすると、ごはんを作るのも電気をつけるのもそうじをするのもみんな忘れてしまう。笑顔もなくなってしまう。着替えさえしなくなったり、お風呂に入らない日さえある。

最近では映画化されたのをきっかけに「指輪物語」を全巻読み返しているあいだそうなった。もう私はかなり大人になってきたので、自分で何か作って食べたり、勝手に風呂をわかして入ったり、自分の選んだ時間に寝たり起きたりできるから全然かまわなかったのだが、幼い頃にそれが起こると、かなりきついことだった。

今でもお母さんが上の空モードになると、小さいときと同じ、あてのない気持ちになる。

小さいとき、お母さんがそうなってしまったことで夜ごはんが毎日てんやものなのは全然悲しくなかった、でも、子供の私にとって、お母さんがどこか遠くの世界を頭の中で旅していて、いくら話しかけても上の空で、くっついていっても、たとえ肌のぬくもりはいつもどおりでも全然こちらに関心がない、というのはものすごい恐怖だった。幼稚園に迎えに来なくて先生が電話でなんとかお母さんをつかまえるまでいつまでもひとりで待ったり、朝お母さんが起きなかったことによって、私も起きそこない、結局なんとなく学校に行きそびれたりしたこともあった。

多分、村上さんのお母さんはうちのお母さんと違って、人であるまえにまず、プロのお母さんだろう。

だから、晩御飯を作り忘れたり、十四時間も寝っぱなしだったり、子供の送り迎えをすっかり忘れてしまっていたりすることは絶対にない。きっと何か悲しいことがあった日でも、村上さんには笑顔を見せてくれるだろうし、目を合わせてもがらんどうでそこにはいないっていうことはめったにないだろう。

お母さんがありのままで、お父さんもお母さんにしばられていないということがうちのよさだとわかってはいても、当時の私は悲しかった。

いつでも同じ時間にごはんを作ってくれる人がいたら、どんなにいいだろう。「時差ぼけのお父さんが起きてきたときにみんなでいっせいに夜中の二時にファミリーレストランに行く」そういう種類の楽しさは大好きだけれど、でも、いつでも振り向いたら私を見ていてくれる、いつでも家に、私のためにいてくれて世話をすることがいちばん大事だというお母さんがいたらどんなにいいだろう。

そういうふうに、ないものに気が狂うほどこがれた時期もあった。

だから、軽々しく「自由でいいなあ」などと言われると、もうその人にそれ以上伝えるのが面倒くさくなってしまうようになっていた。

だけれど、キュウくんの聞き方はそういうのではなくて、もっと厳密な感じがした。何が違うのか、単に私がキュウくんを好きだから「人の気も知らないで！」と気分が悪くならなかっただけなのか、私にはわからない。でも、なんだかキュウくんはうちのお母さんの悪いところもちゃんと想像してみたうえで、そう言ったのではないかと思えたのだった。

「キュウくんのお母さんはどういう人なんですか？」

私はたずねた。

「うちは、亡くなった父親が昔やっぱりこのへんでギャラリー兼喫茶店をやっていて、母親が木で彫刻を創って、それをそこで売っていた、そういう商売のありかたをのぞいたら、やっぱり普通の家庭だったよ。あ、今僕がアトリエにしているところが、昔、母がやっぱりアトリエとして使っていたところなんだ。僕は全部がいっしょになるとむちゃくちゃになってしまうタイプなので別に部屋を借りているけれど、母は僕の反対の性格で、一回寝てしまうともう意欲が消えて集中力が落ちてしまうタイプなんだ。それで、作品に没頭するといつでもアトリエに住みこんでいたので、そういうときの両親は別居に近い感じだったな。だから夕子ちゃんの家の状況がなんとなく肌でわかるところがあるよ。うちの両親は、仲はぜんぜん悪くなかったけれど、いつでも週末しか会わない家族っていうふうで。それで、母は、とにかくひとりでいるのが好きな人で、人といてもいつでもひとりでいろいろなことに関心を持ってくるくる回っている感じの人。」

「それで、うんと淋しくなったことがあるの？」

私と同じかと思って私は聞いてみた。キュウくんは笑顔で言った。

「ならなかったよ。うちの母はにぎやかだから、人を淋しくさせるような感じではないなあ。でも、小さい頃は、いろいろ感じた気がする。もう忘れているだけで。」

「変わった家の子はそうだよね。小さいときほど、つらいよね。」

私は言った。キュウくんはうなずきながら、

「うちは、いっしょに住んでいるあいだは、僕が大きくなればなるほど、お互いに口もきかず、それぞれの手作業に没頭するという過ごし方がわりと多かったからかなあ、そんなに葛藤はなかったよ。」

「その頃から、キュウくんも今のようなものを創っていたの？」

私はたずねた。

キュウくんの作品は、もう彼のものとして確立されたスタイルだったが、とても変わっていた。

金属に細工をほどこしていろいろな絵をつけた平たいものや、がらくたのかけらみたいなものを彩色したりしたものを、モザイクのようにはりあわせてきらきらした絵を創るのだ。

それはメキシコのイコンのようでもあり、子供が王冠をつぶしてハンダごてでつなぎあわせたようでもあった。それから、お父さんの店でたいへんよく売れている、アメリカのアンティークのキルトにもどこか似ていた。

遠くから見るとそれらは銅や金や銀の色をしていて、その中には鮮やかな色のついた絵のようなものも混じっていて、とても平たいが立体でもあり……それだけを見ると狂気が感じられて、彼の頭の中がどうなっているのか、さっぱりわからなかった。

モチーフはいつも、この世ではない世界のようだった。見たこともない木々や、不思議に美しい人々や、その持ち物や、衣服の柄などが描かれていた。

ただ、たいがいは金属でできているのに、どうしてか森のような海のような星空のような、自然の感じがする……それだけは確かだった。そして、少しもひとりよがりなところがなく、ていねいで質が高く、ちゃんと時間をかけて創られている。

「うん、そうだった。当時はまだ今ほど広がりがなくて、ブリキに線で絵を彫り付けて、それに穴をあけて糸でつなぎあわせていた。それをむりやり版画にして紙にプリントするというのも一時期やっていたなあ。」

「じゃあ全然、今と変わらない感じなのね。」

「そうなんだよね……。誰に教わったものでもないのに。そのへんにあるもので創ったのが、結局一生続きそうなやり方になってしまった。創れば創るほど、もうちょっと先があるような気がして、結局ずっとこの形式だ。それに、意外にそのやり方って、どんなことや気持ちも表せるんだよね。絵を描くよりも僕には簡単だな。絵だと、どうしてもかまえてしまうし、どこかでかっこうをつけようとしてしまうんだけれど、あのやり方だと、手作業に没頭しているうちにいつのまにかのめりこんで遠くに行けるんだ。」

「キュウくんの頭の中は、いつもその遠いどこかの世界につながっているんだね。それで、お母さんは……？　お母さんはどういうものを創ってるの？　キュウくんに似た感じ？」

私は聞いた。キュウくんは首をかしげて考えながら、答えた。

「多分、似てないんじゃないかな。母は母で、また別の世界を必死で見つめている感じ。うちの母はいつだって、なんだかわからない木の精みたいなものの像ばかり創っているんだよ。ああ、ちょうどこの間見た小人みたいな、ああいうの。僕、あれを見たとき、あまりにもよく知っているものというか、見慣れた感じのものだったから、母の家から僕にくっついてきたのかと思ってぎょっとしたもの。」

「そうか、でももしかしてキュウくんはそういうわけで、精霊とか妖精とかに近い世界にいるのかもね、遺伝的に。」

「やめてよ、あんなの見たの初めてだよ、僕。感動したもの。お母さんの見てるものって、ほんとうにいるんじゃないか！　と思って。」

「そうなんだ……それじゃあ、お母さんに対する気持ちもきっと変わったね。」

「うん、前は『お母さんは、見えもしないものを追い続けていて、きっと頭がおかしい人なんだ』と思っていたけれど、彼女が何をしようとしているか、僕はあのとき、はじめて本気で理解した。円盤とかと同じで、きっとそういう精神状態でいれば、チャンネルを合わせていれば、見えるものなのかも。」

キュウくんは言った。

「でも、あれから見てないし、もしかしたら僕はもう一生見ないかもしれないなあ。」

「私も、今となっては、夢だったっていう感じがする。」

意外にもふたりはあまりにもあの思い出を大切にしすぎていて、あまりそのことについてしゃべっていなかったのだ。

「だからこそ、見えてしまったらそれを作品に残したくなって、そこからどんどん広がっていってしまって、もう創るのが止まらなくなった母のことが、すごく理解できたよ。」

キュウくんは言い、そして続けた。

「そう、母の作品がもしかして、すばらしいものなのかもと思えたのは、あれを見てからだなあ。それまではすごい想像力のある女性だ、と思っていたのが、いきなりフィールドワークをしている冷静な学者のように思えてきたわけだからなあ。」

「その話、とてもすてきに聞こえる。」

私は言った。キュウくんは笑った。

「でもね、母のそういう熱心で遠い感じが、いつも別の世界を見ている様子が、さすがに父には淋しく思えたし、いくらなんでもまともじゃないと思ったらしくて、僕が小学校にあがるくらいのときにもめにもめて、一度母が家を出てしまったことがあるんだ。」

「まあ。」

やっぱりどんなすてきに見える家でも、問題はあるんだな、と私は思った。

「でも、すぐに帰ってきたけどね。どこの家にでもある家出なんじゃない？　プチ家出だよ。」

キュウくんは笑った。そしてそのあとごくりとつばをのんで、こう言った。

「でもね、実はそのとき、僕は、泣きすぎて目が見えなくなっちゃったんだ。」

それを聞いて私はほんとうにびっくりした。

人は、もうこの世界を見なくていいと思ったら、ほんとうに見えなくなることができるんだ。そうではないかとうすうす思っていたけれど、実際にそういうことがあったと聞いてやはり驚いた。しかもこんなにさっぱりして見えるキュウくんにだ。

「ほんとうに、ほんとうにお母さんを大好きなんだね！」

私は言った。

「その頃は、特に。でも、あたりまえだよ、子供だもん。子供が母親に捨てられて、もう会えないかもしれないと思うこと以上の悲しいことはきっとないよ。もしかしたら、母親が死んでしまうよりも悲しいことかもしれない。」

キュウくんは言った。私はたずねた。

「もしも私がそのうち身も心も深くキュウくんとつきあったりして、その後にキュウくんをふって別の人のところに行ったら、目が見えなくなっちゃうくらいに、執念深く思われてしまうっていうことかなあ。」

「う〜ん、子供が母親に捨てられるのに比べたら多分耐えられるんじゃないかな。僕ももう大人だし。」

キュウくんが妙にまじめに答えてくれたから、ほとんど冗談のつもりで言った私は恥ずかしくなって、ちょっと赤くなった。

キュウくんはそんなことには気づかず、遠くを見ながら言った。

「お母さんが、しばらく戻らないかもって言って出て行ったと父から聞いたとき、僕はもう身をよじって泣いて、叫んで、暴れて、寝入って、目が覚めてまだ母がいなくてまた泣いて、絶対にそんなこと認められなくて、泣いて泣いて声がかれて、それでも戻ってこなくて、だから、もう、見るのをやめようと思ったんだ。暗い部屋の中で、

もがき苦しんで泣いて、寝て起きても部屋は暗いままで、僕はひとりでふとんの中にいて、これは、地獄だと思った。こんなのが人生だとしたら、もういやだ、もう地獄にいたくない、何も見ない、そう思った。」

キュウくんは言った。

「そしたら、目の前に斜がかかったみたいになって、薄ぼんやりとしか見えなくなってしまった。」

「なんて激しく暗い。」

私はつぶやいた。

「だって、その日の朝、出て行くときには何も教えてくれなかったけど、いつもはそんなことしないのに、僕のことをぎゅうと抱きしめてくれて、その時の母の香水の匂いがまだ僕の首に残っていたんだよ。それってもう、いなくなったままになるっていうことだと思ったんだ。泣いて泣いて、もう気持ち悪くなって頭やおなかが痛くなるまで泣いたよ。」

「お母さん、戻ってきたんだよね？」

「うん、二週間たって、戻ってきた。」

キュウくんは言った。そして恥ずかしそうに続けた。

「すごく、すごくばかみたいってわかってはいるんだけれど、今でもね。」

「なに？」

「その、二週間っていうのが、ずっと引っかかっているんだよ。もう時間もたって、その時のことも笑って話せるくらいなのに、そのことだけは、たまに思い出すとたまらなくなるんだ。どうして、僕の目が見えなくなったことを知っているのに、すぐに帰ってきてくれなかったんだろう、どうして、そんなにたってから帰ってきたんだろう？って。」

「うわ、執念深い！」

私は笑った。

「悪かったね、でも、いつでも気にしてるわけじゃないから。」

キュウくんはちょっと怒ったみたいな顔で言った。私は笑いながら、

「ごめんごめん、冗談よ。」

と言った。

「でもほんとうにさ、たまにふと思い出しては、のたうちまわるような気分になるんだけれど、やっぱり僕ってものすごく暗いんだろうか。」

「でも、そういうふうなことが聞けないままだったたっていうの、わかる気がするよ。

普段は許していても、なにかのときに急に思い出して、ふいに疑わしくなることってあるよね。」

私は言った。

「私も、誕生日から一日遅れてお父さんから電話がかかってきたり、電話の向こうのお父さんの部屋がすごくにぎやかで、しかも女の人もいるような様子だったりすると、ふうっと自分がはかなく思えることがあるの。」

「離れているから焼きもちもひどくなるっていうことかな。」

「そうね、そして、なによりも、そっちのほうがお父さんの日常で、私はもうその中にいない、それを受け入れがたいみたい。」

口に出して言うと、なんとなくすっきりとした。なんということがない感情のような気がしたのだ。実際はそのあとちょっと、夜眠れなくなったりすることがあるほどなのに。

私が生まれて初めて失った愛する人が、はじめてふられたのが、お父さんなのかもしれない。

私が育ち盛りでいちばん家族を必要としている時期に、お父さんは仕事に走った、そのことを普段は気にしていなくても、私はほんとうはすごく悲しく思っているのだ。

それとキュウくんの問題は似ているのかもしれないと思う。

自分のプライドのようなものが気にさせなくしているけれど、ほんとうは深いところでとても傷ついているので、口にも出せないという類のことだ。

「お父さんは、君のことをもううんと大人だと思ってしまっているんだろうね。君には、そういうところがあるもの。」

キュウくんは笑った。

「僕までつられて、同じ年くらいの人にしゃべるふうにしゃべっているときがある。だから、お父さんには、まだまだ君が子供時代にいたかったことなんて、全然伝わってないんだよ、きっと。」

キュウくんにそう言われたら、心はすっと軽くなった。お父さんの性質からしてほんとうにそうなのだろう、と思えた。お父さんの世界はなんでも目に見えたままを、耳で聞いたものを、そのまま受け取る世界。私のようにはややこしくない世界なのだ。

私は、

「そう言ってくれてありがとう。ほんとうに、気持ちが軽くなった。」

と言った。そして続けた。

「キュウくんのお母さんもきっと、子供のキュウくんには言えないような人生の問題で、お父さんとの関係とか、いろいろ時間をかけて深く考えなくてはいけないことがあったのかもよ。だって、もしも戻ってきて、そしてまた出て行くことになったらもっと残酷じゃない？　だから、時間がかかったのかもしれないよ？」

「いや、理屈ではもちろんわかっているんだよ。」

キュウくんは言った。

「でも、その時の悲しみとか、憎しみが、体の芯に冷たく残ってるような感じなんだ。」

「それも、なんとなくわかるわ。」

私は言った。置き去りにされた小さいキュウくんがかわいそうだった。

キュウくんはしみじみと昔の話をしはじめた。

「もうあきらめて、でもごはんもあまり食べられなくて、目もよく見えなくなって、そのまま寝込んでいた頃、父が留守をしていたとき、急に母は帰ってきたんだ。夜。ドアが開き、玄関から、母は靴を勢いよく脱ぎ捨てて、どんどんドアを開けて、まっしぐらに僕のふとんのところに走ってきた。母の服からは冷たい外の空気の匂いがした。母は僕をたたきおこして、僕のことをぎゅうと抱きしめて、体が痛いくらいだった。そして、母の体温がぐっと僕に伝わってきた。僕ははじめぼんやりしていたけれど、母の胸に顔をうずめて、しがみついて泣いた。母との体のすきまが一切ないくらいに足までつかってしがみついたんだよ。そうしたら『もう絶対に出て行かない』って母は言った。泣きながら『絶対に、絶対に出て行かないから』って。それで、ふたりともからだが熱くなるくらいにおいおい泣いて、そのままくっついて寝ちゃったんだ。寝ても僕は母にしがみついて離れなかったよ。今でもそのときの嬉しい気持ちを覚えている。うんと熱くて苦しいのに、母の体は生あたたかくてぐにゃっとしていて汗臭くて女臭くて、最悪だったのに、僕の顔も涙で塩っぽくて、べたべたして、でもそれがすごく幸せで、離れたくなかったんだ。」

キュウくんは言った。

私はそのときのキュウくんの気持ちが全部自分ににょろっと入ってきた気がした。

「それから父が帰ってきて、母と仲直りをして、それからはもう、夫婦仲が悪くなることはなかったよ。僕のためにそうしたんじゃなくて、ふたりはそのやり方でやっていくって、ちゃんと話して決めたみたい。だから、ほんとうに平凡な家族の話で、大した話じゃないんだけれど。ただこの話で僕の感情の強烈さがわかるっていうだけだ。でも……そのとき、なんとなく僕は思ったんだ。『これはまずい、僕の持っている感情の強さは、いつか僕をこわしてしまうかもしれない、だから、何かで発散しなくち

ゃ』って。そういうふうに言葉で思ったわけではないけど、そういう意味のことを、本気で、切実に感じたんだ。目が見えるようになるまで、一ヶ月かかったから。一回強烈にしてしまった願い事を取り消すのに時間がかかるって、僕はそのときに身をもって知ったんだ。」

「そうだったの。」

私は涙をふきながら答えた。

「だから、それからはずっと、とにかく手を動かして創り続けているんだけど。だって、そうしないと僕はいつか自分か、もしくは誰かをこわしてしまうから。」

キュウくんは言った。

キュウくんの目にも涙が浮かんでいた。なんだかばかみたいなふたりだったが、もう泣かずにはいられない雰囲気だったのだ。もしも彼のお母さんが帰ってきてくれていなければ、ふたりとも体も目のまわりの筋肉もきっと固くなって、そのまま泣かないことにしてがんばっただろう。

でも、そうではなかったのでふたりとも泣くことができたのだった。ほんとうによかった、と私は思った。

「僕たち泣いてるね、ばかみたい、でもほんとうにふたりで泣いてる。」

キュウくんが私の考えと同じことを言って、涙をぬぐった。

私は饒舌な心を表さず、ただ「うん。」と言って涙をぬぐった。

まだ口の中にはアイスの甘い味が残っていた。そして冬近い空気はとても澄んでいて、空が果てしなく濃い紺色の海のように見えた。もう、帰らなくちゃ、でも、今日はきっと眠れない。眠れないほどのいろいろなものがこの目の中に、頭の中に入ってきた。別れがたい気持ちを持ちながら、いつもの交差点で別れなくては。

私はもうキュウくんにすっかり慣れていて、どきどきすることはなかった。でも、いつも別れるとき不思議な感じがした。それは、小さいときにいっしょに寝ていたぬいぐるみと、朝幼稚園に行くときに別れるときの感じに似ていた。

そんなふうになったら、もう恋のときめきはだめになっちゃうんじゃないかな、と私は思ったけれど、今は恋よりも、この感じを追求したかった。

「ねえ、キュウくんの創るものは、どうして絵じゃなくて、あのスタイルになったんだろう？　さっき言っていたみたいに、手を動かす作業の分量が多いからだけなの？」

そのあとで歩きながら、私の口からどうしてその質問が飛び出したのかは、わからない。これまでの話はみんな関係があるに違いない、という考えが突然にひらめいたのだった。キュウくんは言った。

「多分これだ、と思い当たることはあるんだ。母が帰ってきたあと、家族で旅行に行ったんだ。冬だから暖かいところへ行こうっていうことになって、沖縄に行ったんだ。うちのお母さんは沖縄の出身で、その頃はまだ祖母が生きていたから、そこに遊びに行ったの。それで、冬だから泳がないまでも近所のきれいな海辺に行って、いつもみたいにお母さんは自分の世界にぼうっと入っていって、父は缶コーヒーを飲んでぼうっとしていて、波の音がしていて、僕はそれでも両親がまた仲良くなったことや、車の中でたわいない話をしていちゃついていたことなんかが嬉しくて、神様に強く祈ったんだ。足元を見ているふりをして、強く。この平和を僕から奪わないでください、って。その時に、足元には、いろいろな貝と、珊瑚と、王冠と、ガラスのかけらと、丸石と、缶のつぶれたのなんかがいりまじって、光に当たって、妙にきらきら光っていたんだ。僕はそれをとても美しいと思い、目に焼きつけた。それは誰のとも違う、僕だけの祈りだった。くだらない条件づけだと思ったことも何回もあったけれど、でも、僕だけのものを僕だけが育てていこうとも思えた。でも、そういうのって後づけかもしれないじゃない？　もしかしたら、僕の創る世界がどこかの世界にそっくりそのまま存在していて、それが僕のほうに歩み寄ってきたのかもしれない。それから、なんだかわからないけれど、生まれるより前に、僕の創るような世界に僕はいて、生まれたらこういうのを作品にしようって思っていて、それで人生の大事な場面で似たようなものをそうやって見て、これだ！　と思ったのかもしれないし。どこから来たのかっていうのだけは、僕にもわからないよ。」

とても、よくわかる話だった。

ＢＧＭはゆきかう人々の交わす会話の切れ端や、車の音や、クラクションの音。暮れていく町の気配だった。枯葉のような匂いが冷たい空気と共に、あたりを包んでいた。

この車の流れはいつもと同じで、まるで川のように見えるけれど、その中には毎回違う人たちが乗っている。そしてどこかへと帰っていく。いつだって、違う人たち。もう二度とは同じじゃない。そしてこの歳の私が、この歳のキュウくんといることは、もうないのだ……そのことが妙に真実味を帯びて見えてきた瞬間だった。

これまでそんなふうに思って生きた一日があるだろうか？

こんなふうに、なにもかもが速すぎてとどめておきたいと感じるほどに全てが真にせまってくるようなことが。

これが生きているということなら、激しすぎて忙しすぎて、一刻もむだにはできないほどだ。

もちろんお母さんには毎日毎日、さりげなくではあるが、ものすごくいろいろ聞かれた。

お母さんは、お父さんがいなくて暇なぶん、私の教育に力を入れている……としか思えないところが最近はたまにあった。前はもうちょっと放任主義だったような気がする。それとも、私がお年頃になって急に心配になってきたのだろうか。

でも、親にかまってもらえるぶんには一人っ子の私は嬉しかったので、そんなにうとましく感じることはなかった。

「お母さん、まじめに考えちゃった。あの、キュウくんの言っていたこと。反対するのは、やっぱりキュウくんにあなたがいいようにもてあそばれるっていうことを想像しているからかもしれないって。あなたは人なれしていないところがあるし、大人に囲まれて育ちすぎたから、大人っぽく見えすぎるのよ。でも、実際は、かけひきのようなものには全然さらされていない育ちだから、心配なんだね。あんたはまだやっぱり子供で、頭でっかちなところがいっぱいあって、歳が上なぶん、彼の責任が大きいのは確かなんだよね。」

お母さんは言った。

「私は、私と会ったりすることでキュウくんの責任が重くなりすぎないように、うんと気をつける。でも、やっぱり私のほうが彼を好きな分量がきっと多いから、この問題はとにかくむつかしいと思う。今はまだいいけど、もしも続いてしまったりしたら、どうなっていくのか、さっぱりわからないよ。だって、はじめてのことだもん。」

私は答えた。

「うん、なにごともはじめてのことだったら、絶対に、自分だけで考えなくちゃいけない。お母さんはそれだけは、絶対に邪魔したくない。」

お母さんはきっぱりとそう言って、続けた。

「でも、絶対にいつか起こることなら……ああ、これはエッチな意味じゃなくて、恋をするっていうことがね。相手があの人で、いいのかもしれない、と思わないわけではない。」

お母さんはかなり慎重に言葉を選んで言っていた。そんなに慎重に言わなくてもいいのにな、と私が思うくらいに。

「あまりしつこく聞かないことにするけれど、必ず、門限を守ってね。それから、ふたりで遠出するときには、必ず、行き先を言って。そして、絶対に突っ走らないで。小分けにして、時間をかけていって。といっても、恋愛中の人にはそんなこと絶対に無理だって、わかってはいるんだけれど。でもね、なるべくでいいから、この言葉を心に留めておいてね。」

「はい、そうしようと思います。」

私は答えた。だって、今の私にはそう答えるしかできない。

冬のあたまに、キュウくんの個展がキュウくんの知人のギャラリーで行われることになっていた。

私は、そういうときには作家の人はアトリエにこもって制作をするものだと思っていたが、キュウくんはふだんから作品を創りすぎているために、今あるぶんで充分だということだった。それでも彼は仕上げなどのために、いつもよりもほんの少しあわただしくなり、長くアトリエにいるようになった。

そこであわただしい雰囲気になって、人の出入りが多くなってきたのがきっかけになって、私はたまたま「キュウくんをすごく好きな人」と「キュウくんがすごく好きな人」の両方を見ることになってしまった。

できればずうっと「顔が浮かばない人たち」でいてほしかったけれど、現実はなかなかそうはいかないみたいだった。

キュウくんをすごく好きな人との出会いはこうだった。

私が学校帰りに電話をしてアトリエに寄ると、キュウくんの作品を針金でつなぎあわせているのを手伝っている女の人がいた。そのくらいでは焼きもちは派生しなかった。キュウくんの場合は後輩のそういう人がしょっちゅういれかわり立ちかわり来ているからだ。キュウくんはお酒が一滴も飲めないのと、大勢でごはんを食べるのが嫌いなので、みんなでそのあと出かけたり飲んだりするだらしない感じがないのも、私がやきもきしなくていいところだった。大人同士で飲みに行かれたら、それはもう、たちうちできない。

でも、その人はちょっと違う感じだった。自信があるというか、堂々としていた。彼女は部屋のすみでにこにこして、まるで赤ちゃんを抱っこするみたいにしてキュウくんの創ったプレートを抱き、まるでこの世でいちばん柔らかい糸を指で通すみたいにして、優しくつなぎあわせていた。それはとてもさわやかで感じのいいようすだった。

ああ、この人がその人だ、と私は思った。

色白で、髪の毛が短くて、まつげが長くて、静かで、清潔な感じの人だった。服は少しエスニックな感じだけれどどしわひとつなく整っていて、よく手入れされたきれいな色のブーツをはいていた。

「こんにちは。」

と声をかけると、

「こんにちは。」

と答えが返ってきたが、その人は私を見て露骨に少し悲しそうな感じになった。

そうだろうなあ、キュウくんだけでもややこしいのに、ライバルの中に中学生までいたら、もうほんとうにめんどうだろうなあ、と私は申し訳ないような気持ちになった。それは、私のほうが優位だから申し訳ないわけではなくって、キュウくんはいつでもこの人をあてにしているようであっても、実はそうでもないという気がしたからだ。キュウくんは好きなら、私なんかふっとばしてそっちにいってしまうような人だ。

だから、ここにすわって手伝っているということは、すでにもう、この人は片思いだということなのだろうと思った。

でも、その人の、かまくらの中にいるみたいなあたたかい手伝い方には、見る価値があった。私はなんだか、カンガルーの親子を見ているような、いい気持ちになったからだ。あんなに大事に手伝ってもらったら、作品も嬉しいだろう。

そしてこれまでに見た中でも、壁一面の天井まで届くような大作は、いくらキュウくんが創作に熱心でもなかなかひとりではできないけれど、こういう人たちがいるからできあがるんだ、と感動さえおぼえた。

キュウくんはキュウくんだけで魅力的なわけではなくて、みんながいて、私もいて、それぞれがいろいろなパートを受け持っていて……人間ってみんなそれぞれがこうやってなりたっているんだろうなと思ったのだ。

そしてその人にはなんとなく私と同じ匂いがした。人に何かを押し付けるのが苦手な人の匂い……私ほど、自由にしていないと気がすまないわけではないけれど、でも何かを求めてキュウくんといるわけではないから、自分がいたくているから、別れもしかたないとわかっているようなあきらめのしかたを感じた。

そう、だって、今のままいられるわけがないもの、と私も時々思う。そして、この気持ちが、何か現実的なものに結びつくはずがないのだ。結婚とか、なんとか、そういうものに。いつか木の実が落ちるように終わってしまう日が来る。どんなすてきなことでも変わっていく。でもそれがどういうふうで、いつなのかは誰にも予想できない。

私が紅茶をいれて、灯油ストーブでもなかなかあたたまらない天井の高いアトリエの床に座って、三人で甘いクッキーを食べた。ミルクがなかったので、砂糖だけで飲む紅茶。特に何を話すわけでもなく、普通に三人で。

しかし、

「久倉くんいますか？」

とアトリエにやってきたその人を見たときは、そんなきれいごとは言っていられなかった。ただただ思ったのだ。

負けた！　かなわない！　と。

もうだめだ、私はなにかをあきらめなくてはならないに違いない、そう思った。私がどんなふうに育っていっても、そういう人にはならないのがわかっているからだった。私は生まれて初めて、自分が自分であることを哀しく感じた。

彼女は、まるで真珠のように輝いていた。肌の色つやがとてもよくて、口元がにこにこしていて、とにかくかわいいのだ。目がものすごく大きくて、何も隠し事はできないというくらいに深くよく光っていた。そして茶色やオレンジや黄色が複雑に混じった変わったコーディネイトをしているのだが、全体の印象は活発な感じで妙にうまくまとまっていた。どこにこの魅力の源があるのだろう、胸のあたりからぴかぴかとした光があたりを包んでいるように見える。

ああ、間違いない。この人がキュウくんの一番好きな人だ、と私は思った。すごい人だ。まぶしい人だと。

「いないならいいです！　個展の日にちだけ知りたくて！」

と彼女は言った。

「あ、私、ひかえています。」

私は言った。

手帳を出して、メモしたところを探していたら、彼女は言った。

「キュウくんのガールフレンドですか？」

「いえ、まだそんな地位には至っていません、とてもとても。」

妙に卑屈に私は答えた。

彼女はげらげら笑った。奥の銀歯が見えるほどだった。そして言った。

「私は、昔、ちょっとだけキュウくんとおつきあいしていたのです。」

「ああ、やっぱり。」

私が暗い顔をしたら、彼女はまた笑った。

「そんなに素直に暗い顔にならなくてもいいのに、大丈夫、今は別の恋人がいますよ。それで、どうして別れたかというと、私の場合は、すごく独占欲が強くて、あの、ミホさんの存在が一生つきまとうかと思うと、焼きもちが止まらなくなって。」

「一生って、それ、なんですか？　ほんとうに？」

私は言った。

「うん、なんかそういう覚悟があるよ、あの人。あの人の感じに接しているのがもうたまらなくなって、すぐに逃げ出してしまったの。」

彼女は言った。

「あのおとなしそうな人にそんなに、底力が？」

私はそこまでは考えていなかったので、初めて気持ちが重くなった。

「そうそう、まさに底力という感じよ、あの思い方は。それに男ってばかだから、あいうのをしりぞけられないんだよね、人が心を決めるのは勝手だからねえ。」

彼女は言った。

「でも、私は、そういうのじゃなくて、幸せって違うものだと思ってるから、そういうのとても苦手なのよ。それに、久倉くんも、私のことをその時、さほど好きではなかったと思う。まだ大学生で、もう、他のいろいろなことが楽しくて恋愛どころではなかったみたいね。」

「ひとりの人とまじめに関わるって、とても大変なことなのですね。」

私は言った。私はいつでも自分のビジョンさえかなえられればいいという自分本位な感じがあり、そういう意味ではミホさんとあまり変わりない。

「そうね、特に彼は、優しいからね。」

彼女は言った。

「おかしいんだよ、そう言えば、このマフラー、昔久倉くんが買ってくれたんだよ。カシミヤの高い奴。」

そう言って、彼女は首に巻いたマフラーをひらひらさせた。

「そうですか。」

「それがさ、ミホさんと会ったのに、私にうそついて別の用事だって言っていたのよ。それで、悪いことをしたと思って、買ってくれたんじゃないかな。」

「なんだか、大人の話だわ。」

「彼はいまだにばれちゃっていることを知らないままだから、言わないでよ！　でも、急にその次の日これをくれたっていうことは、そういうことだよね。あの子、そういうところがすごくわかりやすいよ。」

　この人は、私に差をつけるために自慢話をしてるのかな？　とはじめは思ったけれど、目を見ていたらそんなことはなかった。ただ楽しくしゃべっていて、そして輝きは変わっていなかった。山の上のいい空気みたいなトーンは全然変わらず、この人はほんとうに今の自分の生活に満足しているんだな、と思えた。

「あの子はそういう子、つごうの悪い気持ちになると、何か買ってきちゃったり。単純ないい人で、きっと精神年齢は十四歳くらいだよ、だから自信持って！」

　彼女は笑った。

「私、もうキュウくんには、作品が大好きっていうだけで全然こだわりはないんだけれど、ミホさんのところだけには落ちついてほしくないんだよね、意地悪いけど！　だってね……」

　ちょっとだけまじめな顔になって、彼女は言った。

「ああいう人は、私が大事にしているちっちゃいきらきらしたものを、みんな地面のほうに持っていって、だめにしちゃうんだもん。取るに足らないことにしちゃう。それでね、いつか私は絶対そういうのに負けてしまうようになっているの。この世の中ではいつだってそうなの。でも、そうでないことを探して、私ははじっこで生きていくしかないのよ。もう、そう決めたからいいの。」

そしてまたにこにこした。ピンクのほっぺたがはちきれそうだった。

「じゃあね、もう行くね。久倉くんによろしくね。」

そして、彼女はひらりと椅子から降りて、ドアに向かっていこうとした。もう先を見てる、いつだって今にいて、でも先を見つめている。その目はダイヤモンドみたいにいろいろなふうに光っていた。

もう一回、今の顔をやってほしい……そう思った。もう一回会いたいと。またそのいろいろな変化を見せてほしい。意外な顔、意外なしぐさや、毎回違う輝く感じ。

「あの……」

私は呼び止めた。

「お名前を、教えてください。私は夕子です。」

「あ、名乗ってなかった！」

彼女は笑った。

「ほつみです。またね！」

ほつみさん……のことを、私はよくも悪くも、ずっと忘れられないだろうと思った。キュウくんが彼女を忘れられないのと同じように。その名前は呪文みたいに、私の心に光の文字で刻み付けられた。勝てない……そう思うこのことはきっと悲しいことではなくて、キュウくんがだんだんと私のところへ降りてくるかもしれない、平凡な道の一歩なのだろう。平凡の先にはなにがあるのか、私はまだ知らない。想像すらできない。


さっきほつみさんという人が来たよ、と言ったら、キュウくんはうん、とうなずいた。別に言い訳がましくもなく、悪びれもせず、いい感じの「うん」だった。

私はたずねた。

「キュウくん、あの人がキュウくんのほんとうに好きな人だね？」

「そうだった。」

とキュウくんは言った。

「あれほど誰かに、恋したことはない。」

不思議と胸は痛まず、興味だけがわいてきた。

キュウくんのじゃまをしたくなかったのでアトリエでいろいろやっているあいだは黙っていたけれど、帰るとき、スターバックスに寄って熱いタゾチャイティーラテを飲みながら……私はグランデ、彼はトールで……それがいつものふたりの習慣になりつつあった。そういう小さいことで歴史がちょっとずつ作られていくのを、そういうときに私は感じた。

「グランデでいいの？」「うん。」「クッキーは？」「食べる。」「いつものやつ？」「今日は私がごちそうします。」「いいよ、このくらい。」

そんなやりとりが何よりも嬉しかった。

冷たい風の吹く街並み、肩を寒さにきゅっと縮めて歩く人たちを眺めながら暖かい店の中で、私だけ買ったマカダミアナッツとホワイトチョコのクッキーを食べながら、お店の人の声の響きの中で、ふと私は聞いてみた。

「答えたくなかったらいいけど……あの、あの女性たちとは、肉体関係があるのですか？」

キュウくんはぷっと吹き出した。

「なにそれ、だいたい君、どういう立場からの質問なの？」

「どういう立場でもない、私、飯塚夕子からの人としての質問ですよ。」

私はなるべく堂々としてそう言った。

「どっちともあります。」

キュウくんははっきりと言った。

「やっぱし。」

私は言った。

「もちろん、ほつみとはもうそういうことはないよ。昔の話。すばらしい思い出の中の話。」

キュウくんは恥ずかしいのか、コップを揺らしながら答えた。

「じゃあ、ミホさんとは今でも？　なのに、こうしてキュウくんを好きかもしれない私と会っていていいのかなあ？　あ、これはガールフレンド候補としての質問ですよ。」

私は言った。

「私は私なりに、キュウくんを好きだと思っているから。」

キュウくんは、いつものようにまじめに考えて答えた。誰に対してまじめかというと、彼自身にだ。

「厳密に言うと、今はない。そんなにしょっちゅうあることでもなかった。だって、ミホはすごく精神が強くて、いつでもどんなときでも待っていて、好きでいてくれて、必ずやらせてくれるんだもん。若い男の子としては、さからえなかったよね。」

「まだわからないジャンルでくやしいけど、推測はできるかも。」

「推測なんかしないで。それで、僕とじゃなくてもいいから、いつかわかるようになって。でもいいことだけを知って。できれば。」

「お父さんが増えたみたいでいやだな、そんな言い草。」

「だって、僕は友達なだけじゃなくて、保護者でもあるから。」

「まあいいや、それで?」

「それだけだよ。でも、そういうのってなんだかあんまりほんとうは好きじゃなかったんだよね。もはやうさばらしに近いというか、悪循環で、抜け出したくてしかたなかったなあ。でも、いやでもなくて。あれだけ好かれていると、彼女の家に泊めてもらうのがまるでとってても、その人にとっていいことしてあげてるみたいに思えてきてしまうんだよ。そういう自分がすごくいやなんだ。だって、それは僕の気持ちじゃないから。それでも彼女のことがやっぱりかわいく思えてくるし、情もわいてくるし、気持ちも落ち着くし。このままずっといくのかな、って思えてもくるし。それで、ミホは僕を好きだから無理をしているんじゃなくて、ほんとうにああいう人なんだよね。

サポートするのにむいている。もしもそういう関係じゃなかったら、もっと安心して手伝ってもらえたと今では思うくらいに、冷静に人を手伝う能力があるから。甘やかさないし、はずさないし。そういうところを尊敬してるところはあるから。」

キュウくんは言った。

「利用してるのでもなく。ただ、自分の側の問題で……。彼女の世界に甘えきっている自分自身が自分でないみたいで、気持ち悪くて。それになんていうのかなあ……心の中でどこかがだるくなると、もう全部だめになっちゃう気がするんだ。もともと僕は何に関しても『ずっとこのままいくのかな、それもいいや』っていう気持ちがいやだからこそ、なによりもあの独特な重い気持ちになるのが大嫌いだから、なまけものなのになんとかしてがんばっていろいろやっているんだけれど、ああいう、女の力の、しかも僕みたいななまけものには悪いほうの甘えさせてくれる力は、他の人にとっては支えられたり楽しくさせられたりがんばる気にさせたりするのかもしれないけれど、僕には、どうもだめみたいなんだ。たとえ親が死んでほかに身寄りがいなくなって死ぬほど淋しくなっても、あっちの世界にはいかないと思う。なんていうんだろう……『保険』っていう感じがいやなのかな、口に出すとすご〜くばかみたいなんだけれど。」

キュウくんは考え込んだ。

「彼女が保険なのかなあ。ひとりぼっちにならないための？」

私は聞いた。キュウくんは言った。

「いや、そういうのではなくて、中途半端に孤独にならないための、だらしない気持ちになった自分を正当化するための。そして人生はこういうものかも、これでいいのかもと、誰もが、特に男が思ってしまいそうな不毛な世界……それはそれでもう抜け出せないくらいに居心地がいいところに、僕は絶対に自分の身を置きたくないんだ。子供みたいだけど。それに、僕は、そんなふうに気持ちの中でぐちゃぐちゃ遊んでる暇に、ひとつでも多くいろいろなものが創りたいって思うから。……こういうとまるでかっこいい人みたいだけど、そんなんじゃなくて、僕の作品って物理的にすごく時間がかかるから、ほんとうに単純に、人生の時間が惜しいんだよ。」

「そういう、象徴としてではなくって、ミホさん個人には、嫌いなところっていうのもあるの？」

私は言った。

するとキュウくんはきっぱりと言った。そこをすてきだと思うくらいにきっぱりと。

「嫌いなところはない。ミホは何も悪くない。好きなことを好きなようにして、向いていることをしているだけだと思う。そこが問題なんだ。洗濯物の干し方も、家具の選び方も、家の掃除のしかたも、気まぐれにしか料理とかしないところも、案外冷たくてさっぱりしてるところも、嫌いなところはないんだ。絶対に、嫌いにはならない。だからこそ……もうどうにかなるくらいいっしょうけんめいに精神も体も使って作品を創って、かなり消耗して、それで鬱屈した気持ちになって、ころがりこむところが彼女との関係……ほっとできるのがそういう肉体関係と、人の部屋でだらだらして、ただ受け止めてもらうことっていう毎日が、なんだか、みじめなんだよね。これじゃ、子供が親に甘えるのとあんまり変わらないじゃないか。子供の頃のループから少しも抜け出していないじゃないか、僕はこんな人生いやだねと思う。それは僕自身の問題で、ミホはなにも悪いところがない。それに、人間は弱いから、そういう相手が必要なのかもしれない。でも僕はそういうので成り立っているこの社会が大嫌いなんだ。もうどうしようもない落ちこぼれだね。」

「そうなんだ……。でも、私には、まだいずれもよくわからないのかもしれない。その感じを実感したことがないもの。」

私は言った。私はまだそういう中途半端な、しかし密接な関係を他人と持ったことがなかった。

「でも、それがある種の楽しさだとしたら、休めるところだとしたら、いずれは彼女の世界にほんとうに落ち着くこともあるのかもね。」

私は言った。ちょっとがっかりしたが、しかたないのかもしれないと思った。

「うん。ありえなくはない、でも、そう聞いたときのその瞬間、どうしても僕は楽しく感じないし、ほっとすることもない。だから、多分、ありえない。」

キュウくんは言った。

「夕子ちゃんと会うようになって、その問題の重さが少しだけ僕から抜け始めた。すごくそれはありがたいと思ってるところがある。それにしても、なんで僕、こんなことまで君にしゃべってるんだろ。」

私は何も言わなかったが、心の中で、キュウくんが自分の感情に対してすごく厳密なところがいいな、と思っていた。その厳密さでいろいろな人と接したり、たとえば靴下だとか、パンツだとか、かばんだとか歯ブラシだとかを選んでいることを考えると、切なくなった。それははつ恋にだけ許される小さなかわいさだった。それこそが私とキュウくんの立場の違いだった。キュウくんはもういろいろなことに疲れていて、そして私はまだ全然フレッシュで、そのくらいしか私にはしてあげられることがない、そういう気持ちだった。

キュウくんの個展は、とても成功したと思う。

キュウくんがいろいろなもののかけらをつなぎあわせて彩色して創った宗教的な感じがするタペストリーは、壁いっぱいに、まるでどこか遠い国のおみやげもの屋さんの壁みたいに、昔からそこにあるもので満たされて見えた。

代官山の小さくて上品なギャラリーにたくさんの人が集まって、取材の人もけっこうたくさんいた。

そして、作品はあっというまに魔法のように売れた。売れ残ったらお母さんに相談して買おうかと思っていた比較的安くて小さいものまであっというまに赤い丸のシールが張られた。

すごい……昨日まではアトリエでただで見ほうだいだったものが、もう遠いところへと、値段のついた世界へと行ってしまった。その変化が目の前であっという間に起こったので、私はびっくりした。

ギャラリーの女の人はとてもキュウくんの作品を大事にしているのがわかったのでなにもいきどおることはなかったけれど、ただ、すごく、あっけにとられるくらいに速かったのだった。私のお母さんがのぞきにきたころには、もう、嵐のあとみたいに何も残っていなかった。

お母さんはじっくりと、まるで女学生のように清潔な足取りで、キュウくんの作品を見てまわった。お母さんはキュウくんにも飲み物にも来ている人にも目が行かなくて、ちゃんとまっすぐ作品に行った。

「お母さん、キュウくんはこういうのを創ってるんだよ。」

と私が言うと、お母さんはすごく低い声で、

「かなり本格的な人なんだね。」

と言った。

そう、たくさんの人があまり絵を何回も見ないで、あっというまに飲み物とカナッペとサンドイッチとおしゃべりの世界に行ってしまったのにも私はびっくりしていた。その中で主役を演じるキュウくんは、とても俗っぽくとても如才なく見えた。私の好きな、絵画教室でのキュウくんとは違っていた。

そして私がさらに誇らしいと思ったのは、お母さんは作品を何回も見て、自分で納得したようなようすになってから、はじめてふとひと息ついて、ギャラリーの人にすすめられてはじめてウーロン茶をごくんと飲んだところだった。そう、お母さんは、ちゃんと静かに、何もしゃべらないで、誰にもあいさつをしないで、作品を見た。そして、お茶を飲んだ。そのことの品のいい感じが、私の心の落ち着かないざわめきを元の状態に戻した。私はこのお母さんの子、だから、自信を持って私の思うようにしていていいんだ。

「お母さん、あんたの見る目を疑っていて悪かった。キュウくんのことをただのおぼっちゃまかと思ってたけど、そうじゃないんだね。夕子が彼の何を好きになったか、ちょっとわかった。彼の苦しみや、淋しさや、彼がどういう人になりたいのかとか、どういうこととふだんむきあっているのかとか、そういうことがわかった。」

お母さんは言った。

「私も、私もね、お母さんがここまで立派な人だとは、思わなかった。」

と私は言って、お母さんをかちんとこさせた。

「ごめん、言い方をなんか間違えちゃった。」

と言うと、

「大丈夫、なんか、言いたいことはわかるから。」

とお母さんは笑って、言った。

「だってお母さんいつだって、多分小さいときから、こういうところにいる人たちがうんと苦手だから。」

あいかわらずキュウくんは、雲の中にいるように人々のざわめきに囲まれていた。ああ、今日のキュウくんはひとりじめできないし、ミホさんがまるで奥さんみたいに近くでそっと全部を仕切っている。飲み物を勧めたり、聞かれれば値段の表を調べたり、出すぎず、ひっこみすぎず、てきぱきと、若いのにまるでベテランみたいな感じだった。そこが私には全然面白くなかった。面白くないというのは焼きもちだけではなくて、まさに若さからくる残酷さだった。キュウくんの近くには、そういう面白くなさを持ってきてほしくない、なんて、現実のことを何も考えずに思ってしまった。そういう人が必要だとしても、ミホさんみたいであってほしくない。もっと割り切って、すかっとした感じの人がいい。もしかして焼きもちかもしれないけれど、そう思えてきた。たとえミホさんタイプに落ちつくにしても、もっと上のもっとつわものがいるような気がしたのだ。

それは今の立場だから気楽に思えるけれどとても傲慢な考えで、でも、なんとなく当たっているような気もした。

でも、私は自分は何もできないし、何ものでもないくせに、そう感じてしまったのだ。

私はそういういやな自分にちょっとしょんぼりとして、お母さんと帰ることにした。

キュウくんは、私には社交の笑顔を見せずに「今夜、電話する」と仕草で伝えてきた。

それで私はまた、夜の豊かな窓辺を持つことができるようになった。電話がかかってくると、私は寒くても窓をあけて、空気を吸うことにしていた。星も見ることにしていた。手元を見ていると、もっともっと好きになってしまいそうだから、なるべく遠くのことを、考えようと思ったのだ。


遠くと言えば……時には、いや、しょっちゅうお父さんのことを考える。

それもまた想像がつかないくらいに遠くのことだ。人としても、距離もうんと遠いのに、好きでしかたない、どういうふうにしていいかわからない、好きすぎてうっとうしいくらいに重い存在として。

お父さんからの電話のときも、キュウくんからの電話と同じように私は窓をあける。

このひとときがものすごく貴重だ、と思うようになるのがいやだからだ。部屋でじっくりとしゃべってしまうと、電話を切ったあと、淋しい気持ちになりすぎてしまう。「かわいいアンティークのビー玉が入ったから」とか「すごく状態のいい真珠の入った指輪が入ったから、夕子のためにキープしてあるよ」とかいうことを、お父さんはよく電話してきた。

「こういうことしているうちはプロとして失格だ、プロは、お店に出す前に、自分のために先にいいものをおさえたりしちゃ、いけないんだよね。でも、ふたりのことを考えると、ついついそういうことをしてしまうんだ！」

とお父さんはたびたび言った。

「離れていると、お母さんと夕子が本物よりもずっときれいに思えて、星みたいに遠くて光っていて、そこに向かって顔を向けていたいと思うようになるんだよ。」

もちろんお父さんは向こうで所帯を持っちゃうような、お母さんと離婚してしまうような、本格的な浮気はしていないと思うし、帰ってくるとも思う。それはわかっている。

でも、日常の中からその影が消えているということの意味は、お父さんには決して想像できないくらいに大きい。私の育ってきた家は、家族がそろっていたという点においては、普通の家以上に平凡だったのだ。親の仕事場はみんな同じ町にあって、いつでも家族三人はそこいらへんにいた。それがこんなふうに大きく根本から変わるなんて、甘えん坊の私の人生ではありえないはずのことだった。

だからこそ、いつかほんとうに家族がなくなってしまうかもしれない、という不安が私の頭から、まるで悪い予感のように消えなかったのだと思う。

お父さんの不在が現実ではない悪夢のように感じられるのとは正反対に、お母さんからどんどんお父さんの気配が消えていくのだけは、日々とてもリアルに感じられた。しかもそれには加速度がついていくような気がした。

たとえば最近のある日、お母さんは突然にめがねをやめて、コンタクトレンズに変えた。駅前で安い使い捨てのコンタクトのちらしを配っていたので、気軽に眼科に行ってみたら案外よかった、みたいなことを言っていた。

「お金ためて、視力回復の手術受けようと思って。昨日店に来た知り合いのアメリカ人が最近受けたって言ってて、すごく快適そうなのよ。それでうらやましくなってさ、とりあえずまずコンタクトにしてみたわけ。」

そしてある日、家に帰ったら、お母さんはいきなり女っぽくパーマをかけていた。

お母さんの店にある、自然な生活をすすめる本がみんな賛成してないことだったけれど、なんだか急にその髪形になりたくなり、なにもかも気にせずはじめてかけてみたという。

それはお母さんにとってとても珍しい行動だった。ゴミが多く出るからと言って、スーパーで肉を買ったりもめったにしないような人なのに、そんな非エコロジカルなことをするなんて、びっくりだった。

「毛先だけね、だって、せっかくだから。今、イメージチェンジがはやってるのよ、私の中で。」

さすがに化粧は嫌いなのでしないわ、と言いながらも、お母さんは華やいでいて、いつも着ているブルーのカーディガンも、違う服のように明るく見えた。そして姿勢がちょっとよくなったようにも見えた。首が長く保たれ、目はまっすぐに前を見ている。

「ねえ、それってお父さんが帰ってきたら『きれいになったね』ってすごく驚くのを期待してるの？」

私は聞いてみた。夫が帰ってこないからって、執念できれいになったり、他の男の人に対して遅咲きの狂い咲きみたいになったらいやだなあ、と思ったのだ。

「ううん。」

すごくきっぱりとお母さんは言った。

「自分のため。自分が楽しいから。男の人にも特に興味はないもん、今。そしてお父さんへの興味も薄れてきた。だって、目の前にいないんだもん。」

私は多少ショックを受けたが、お母さんが嘘を言っていないのはわかった。

「ただ自分の外見が変わるのを久々に楽しんでるだけよ。」

お母さんは笑った。

そんなにたやすく変わることができるなんてすごい、今までの長年同じだった自分の外見に何の執着もないなんて、と私は思った。そうやってまたお母さんの新しい面を知った。


お父さんに電話するときやかかってきたときには私も出るというのが常なのだが、夜中の電話で、明らかにお母さんがお父さんとしゃべっているときというのがある。まあ「夕子の進学はどういう学校がいいか」などという私の話題だったりお店のお金の問題だったりするときは、きっとふたりだけで話したほうがいいのだろうから、私も出たがらずに知らないふりをしてあげることにしていた。

でも聞くつもりがなくても、お母さんの声が大きいと、聞こえてしまうことがある。最近もある夜、廊下に、お母さんの怒ったような声が響いていた。

「だって、目の前にいないんだもん。私は、ロマンチストじゃないから、目の前にいない人のことはどんどん忘れちゃうのよ。特に忘れないようにという努力もしてないけれど、ただ、自然に忘れていっちゃうのよ、あなたがいることを。」

そういうのを聞くと、私はどきりとして、それ以上電話が長くなって、話も深くなったらどうしようと思う。私にはどうしようもできないことだ。

そしてお母さんの変革は続いた。ある夕方家に帰ると、家の前にものすごい自転車があった。ママチャリではなく、フレームがちょっと重そうだけれど高そうで、しっかりとしたいい自転車だった。

「お母さん、あの自転車どうしたの?」

家に入って聞いてみたら、お母さんはいつになく大音響で聴いていたニール・ヤングを小さいボリュームにして、自慢げににこにこ笑った。だいたい、その音楽の聴き方も実に独身っぽい。またその「え? 聞こえないわよ?」という顔はとても若く見えた。お母さんは言った。

「ごきげんでしょう？　あの、女子大の近くのかっこいい自転車屋さんあるじゃない？　あそこでおじさんがあまりにも熱心に自転車を組み立てていたから、話しかけてみたの。先月。それで、話し込んでいるうちにどうしても欲しくなってきて、注文しちゃった。で、できてきたの。かっこよくて夢みたいでしょ、フレームも真っ赤でさ。よく走るよ。」

その日から、お母さんは自転車に夢中になり、毎日布でふいたり、サビ止めをしたり、油をさしたりして楽しそうだった。そしていつでもそれに乗って移動するようになった。

私の中のお母さんは基本的にいつも歩きで、赤いふちのめがねをかけていた。だからその移動のスピードや、めがねを指であげるときの仕草が私の中にあまりにもしっかりと焼きついていたので、その変化の全てがぎょっとさせられるものだった。

お母さんは、じょじょに、体のまわりについていた透明な膜のようなものをはがしていくような感じがした。生の世界から、お母さん個人をへだてていたものをはがし、個人として世界に向かっていく姿勢に変わりだした。

そのことによって、お母さんの体のまわりにまとわりついていた人妻の気配……甘くてぽわんとして家の中の空気とあまり違和感がない、輪郭の薄い存在だったものがすっかり濃くなり、お母さんは私の知らない独身の頃のお母さんに戻っていっていた。ひとりでなんでもでき、抽象的で、夢見がちなひとりの女性に。それはとてもすてきなことだったけれど、私の悪い予感を後押しした。

ああ、きっと、お父さんからも同じくらいお母さんの気配が消えているにちがいない。お父さんの洗濯物をたたむのはお父さんの手だ。お父さんの血や肉や考えを作っている食べ物は、お母さんのつくったものじゃない。そういうことが積み重なって、ふたりが作っていたあの一体であるような感じの気配は消えていく。

お父さんを恋しいと思うこの気持ちさえ、なんだかぼんやりと悲しい霧のようなもののなかに溶けていく。かすかにぼやけて、考えようとしても考えられない。お父さんの顔がはっきりしない。匂いも思い出せない。家の中のお父さんの部屋のドアがずっと閉まっているので、そこだけ影が濃く見える。

もう開かないいんじゃない？　もうこのドアの向こうに生き生きとしたお父さんのたてる物音がすることはないいんじゃない？　そんなふうに闇が語りかけてくる。

お父さんの不在は、現実的な楽しさの不在でもあった。ドライブや、外食や、棚を作るだとか、ダンボールをきちっとまとめるだとか、雑誌で見たおいしいすき焼き肉を取り寄せるだとか、そういうこととのつながりが薄くなることであった。お父さんが言い出さないと、そういうできごとはわが家では決して起動しない。

うちの廊下のものすごく高い位置にライトがあるのだが、ある夜、そこの電球が切れた。

夜中の一時にお風呂に入っていたら、突然廊下が真っ暗になったのだ。

お風呂から出て、お母さんに電球のことを言いにいこうとパジャマで歩いていた私と、気づいて部屋から出てきたお母さんは、その真っ暗な廊下で出会った。

ちょうどなんとなく冴えない天気の一日で気圧も低かったから、ふたりとも沈んだ気持ちだったからだろうか……ふたりは顔を見合わせ、同時にお父さんを、あの明るさたくましさを、そのいちばんいいところを思い出して、とても、とてつもなく悲しく心細くなった。

お父さんはここの電球が切れると、いつも、たとえ夜中でもなんでも「ストックはないの？　じゃあ、コンビニで買ってくるよ。なにかほしいものあるか？　アイス？」と言ってさっそうとバイクに乗って、コンビニに走っていって、すぐ帰ってきたものだ。

そして脚立を出して、なんていうことない感じで、きゅっきゅっと電球を替えた。明るくなった電球がお父さんの顔をぱっと照らす瞬間には……人の得意なことの頼もしさが、いつでも家族を包んだ。お父さんの顔は迷いがない感じで、誇らしげで、そして私たちのことがとても好きで、私たちの役にたてることが嬉しい、そういうふうだった。

ああいうとき、お父さんのフットワークの軽さも、大きな肩も、それが全てじゃないとしても宝物に見えた。永遠に頼もしい、そう感じられた。

お父さん、ありがとう、と口々に言いながら、私とお母さんは夜中の台所でアイスを食べたものだった。そのありふれた甘さも、ひとくちだけ交換するといういつもの面倒くさい儀式も、それに参加せずにビールを飲んでいるお父さんも、まさにどうでもいいことばかりでできたそんな光景が、今夜、私たちをふいに泣かせるなんて、思ってもみなかった。

私もお母さんも嗚咽が止まらなくなるくらいに泣いて泣いて、バカみたいと言い合ってはまた泣いた。どうしてもお父さんにここにいてほしかったのだ。もうあの日々は二度と戻ってこない、そういう気がして、今の自分たちの生活の淋しさがぐうっとのしかかってきたのだ。

「ねえ、泣いていてもしかたないよ。いっしょに買いに行かない？　電球。」

お母さんは言った。

「このまま寝たら、もう、お母さん、だめになっちゃいそうだよ。」

「だって夜中だよ？　いいじゃん、明日行けば。明るくなれば気分も変わるって。」

と口にしてから、私は自分のつまらない考えを恥じた。

それは、私の答えを聞いたお母さんがすごくつまらなそうな悲しい顔をしたからだ。小さい女の子みたいな顔だった。そして、お母さんのほうがよほど子供みたいな、新しいいい考えを口にしていたことに気づいた。

「でも、行こうか。歩いて二分のほうのコンビニなら、あぶなくないし。」

私が急に気持ちの切り替えをしたので、お母さんはびっくりして、

「そういう変化、キュウくんのせいだね。」

と言った。

「最近、夕子は小さい頃に戻ったみたいで、いっしょにいてもはっとさせられることが多いよ。」

そうかもしれない。いつもよりもちょっとでも深く遠く、このごろの私はそういう感じだった。

「ねえ、そのほうがうんと嬉しいよ。お母さんにとって、あなたに好きな男の子ができて、どんどん離れていくことだけを覚悟していた。でも、そうじゃなくて、あなたはどんどん赤ちゃんのころの顔に戻っていく。」

お母さんは言った。

「お母さんは、あんたが赤ちゃんの頃、いつでもあんたといて新しい発見をしたし、自分がすっかり固まって堅苦しくなっていたことがたくさんあったのを知った。そして育てながら、どんどんあんたといっしょに自由になっていったの。あのときに今、とっても似ている。」

そうか、私がキュウくんを好きになったことで空気が変わり、お母さんはそれに影響されて変わってきたのだ、単にお父さんがいなくてやけくそなのではなく、ポジティブな変化でもあったんだ、と私は知ってほんとうにほっとした。自分が関わっているとなかなか気づきにくいものだ。お母さんは昔に戻ったのではなく、新しいお母さんになりつつあるだけだったのだ。お母さんの本質に近づいているだけだったんだ。

そう思えたら、さっきまでの涙は去った。

今は、今に戻ってきた。悲しい思い出の中から抜け出した、新しく思い出を創れる今だった。

ものすごく寒かったので、コートを着込んで、マフラーも手袋もして、私たちは夜道を歩いた。この思い出がうんと楽しいものとして残りますように、切ないものとしてではなく……と私は思った。星が細かくちらちらと光っていたし、息は白く、店員さんは眠そうだった。なんということはない、危険でもなくて、冒険でもない買い物だった。煌々と明るい光を放つコンビニで、雑誌とアイスと電球を買って帰り、私は脚立を支えたり、さっと新しい電球を差し出したりして、お母さんを手伝った。そしてなんとか電球がついたところで、アイスを食べて、ちゃんとひとくち交換して、お父さんがいないとこういうときうんと淋しいね、と素直に言い合って、ついに私たちはお父さんに電話をした。

「さっき廊下の電球が切れたら、ふいに淋しくなったの、ふたりとも。」

と言っているお母さんはすてきだった。

その感じは時差で昼間の世界にいるお父さんには決して伝わらなかっただろう。なに言ってるんだ、また帰ったらいつでも電球くらい替えるから、そのままにしといて、なんて言っていた。

お父さんののんきな反応のおかげで、さっきまでの宝のような淋しさはありふれた安心にとってかわった。

でも、確かにあの瞬間、私とお母さんはほんとうに思ったのだ。お父さんはもう帰ってこない、二度とはあんなふうに頼もしく電球を買ってきてくれることはないと。その時の悲しみの瞬間的な深さ……それこそが私たち家族の意味だった。たいしたことはない意味であっても。

そして電話したからといって、その不安が消えたということはなかった。全てが終わったらとても疲れていて、私たちはそれぞれの部屋でぐったりと泥のような眠りにつくことができた。よかった。疲れ果てて寝ないと、きっといろんなことがせまってきて、また泣いてしまっただろう。

個展が終わって落ち着いたキュウくんと久しぶりにデートしたのは、少し離れた大きな街の中だった。

もうクリスマスが近いから、あらゆる木に電飾が輝き、店のウィンドウはサンタやツリーやひいらぎでいっぱいで、きらきらと輝いていた。ふわりとした冬の雲に覆われた空にそれがぼんやりと映っているような感じがした。それはまるであたたかいスノードームの中にいるように、幸福な感じがした。感傷も大きくなり、そして幸せも感じられる、それがこの国のしめった冬のすてきなところだと思う。

キュウくんの好きなタイプの暗く小さな喫茶店に入って、私たちはしゃべりながら久しぶりにゆっくりとコーヒーを飲んだ。

「個展って、ああいうものなんだね。その場でどんどん売れたりもするんだね。私、売るのって、あとで商談みたいにこっそりやるものかと思っていたの。しかも、みんなが何回も見たあとで、じっくり決めるものかと。でも、入ったらもうみんなシールが張ってあって、それってもう売れたっていうことだから、すごくびっくりした。みんなが待ち構えていたっていう感じなんだね。もう、一目見て取りあうみたいに買っていったんだもんね。」

私は言った。オレンジ色のライトの下で、久しぶりに会うキュウくんは痩せて少しセクシーに見えた。

「オープニングのパーティの次の日とかに、普通の人が見に来たとき、もうなんにも残ってないってこともあるの？」

「そんなことはめったにないよ。それに何回も会場には足を運ぶから、そういう人の意向も聞くことができるし。普段も連絡が取れないということはないから、個展だけで作品を売っているのとも違うし。」

キュウくんは言ったが、なんとなく切れが悪くて言い訳がましかった。

「でも、いっつも思うんだ。なんだかなあって。そりゃあ、自分の作品が売れるのはすごく嬉しいし、正直ありがたい。でも、みんながばっと入ってきて、がばっと見て、値段の表をさっと見て、すぐに買うんだよね。仕方ないんだけど、このシステムだと。でも、なんか、株とか……いや、株のことなんか知らないから、違うのかな。そういうものを押さえておくみたいな感じの人もいるんだよね。将来有望と思われて嬉しく思うべきだとは心から思うから、きれいごとだとわかっているんだけれども。まあ、はじめに来る人たちはたいてい知り合いだったり、友達だったりするんだけれど、ほんとうに見たくて来る人はどのくらいいるのだろう、って変なふうにうがちすぎて考えて、スランプのような気持ちになったことはずいぶんあるよ。みんなすぐに飲んだり食べたりしはじめて、作品を見ていなかったりするし。」

「ああ、私もちょっとだけそう思いました。」

私は言った。キュウくんは続けた。

「ああいうのに慣れなくて……僕にとって絵って、いつでもひとりで好きなときに好きなだけ見るものだったから。アムステルダムに行ったとき、四日間に五回ゴッホを見に行ったときみたいに。そういうときは、何も飲みたくないし、食べても、あまり味を感じない。感動とかいうよりも、とても個人的な、音のないような気持ちの中にいて、その中に飲み物や食べ物に対する気持ちもあっというまに溶けちゃうんだ。まあ、自分とゴッホを比べていること自体ばかみたいだし、傲慢なんだけど。あの、つまり、別にみんなに感動してほしいわけでもないし、僕と同じようであってほしいわけでもない。静かに見て帰る人だっている。ただ、自分が、あの感じに慣れていくのがいやで……、僕の嫌いな『こうやって作品を売ってずうっと生活していくんだな』っていう感じになってしまいそうで。なるべくずっと気にしないようにしていたんだけれど。」

キュウくんは言った。

「二年前から子供に絵を教えるようになって、やっと、僕の作品を背にした人の口がもぐもぐ動くところとか、絵を見ないで長くその場に立っている人たちの立ち姿なんかの映像が、頭によみがえらなくなったんだ。」

私の頭の中に、同じ教室にいた懐かしい子たちの顔や、クラスの中の雰囲気が浮かんできた。静かな中で、黙ってぺたぺた色を塗り続ける小さい子達の顔も浮かんだ。学校で絵を描くときみたいじゃなくて、それぞれが自分の世界に没頭してよくて、そこがすごく好きなところだった。

「私は絵のことも、作品のこともよくわからない。でも、うちの廊下にずっと前からかかっているなんていうことない絵があるのね。お母さんの誕生日のために、お父さんがアメリカの田舎町で買ってきた、小さな、海辺の、ほったて小屋やかもめなんかの絵。ペンで描いてあって、水彩ですごくきれいな空色なんかが塗ってあるの。それを私はものごころつく前からずっと見ていて、もう見慣れすぎてそこにあることも意識しなかったくらい。でも、小学生のときにスキーに行って転んで、結局ねんざだったんだけれど、お父さんが迎えにくるまで、長野の病院で一泊するはめになったの。その時、はじめての場所で足も痛くてとても暗い気持ちの私は、突然、あの絵があったらなあ、と思ったの。」

　私は言った。

「そして、その人の画集をネットで見つけて、取り寄せて、もうそれからはずっとその人の絵に対して、特別な気持ちがある。でもそうなるのに十五年くらいかかったんだよ。そういうふうにして長く見ないと、その絵がほんとうに好きかどうかはわからないかも。」

「そうだよね。」

顔を輝かせてキュウくんは言った。

「誰かの家で僕の作品がほこりをかぶっていても、いつ、誰かの心にしみたことがなかったとは限らないからね。子供のときの座布団の柄を妙に懐かしくいつまでだって覚えてるみたいに。だから、作品の行く先のことなんて僕が考えることじゃなくって、ベストをつくしたら、それは勝手に行った先で生きていくだろうと思うことにした。だいたい、飲んだり食べたりしてしゃべっている人が、心の中では僕の作品に震えていてくれることだって、ありえないわけではないから。つまらなく決めてしまうのは、きっといつでも自分の側の問題なんだな。」

「そんなことぺらぺらしゃべらないで！　神秘が消えちゃう。」

私は冗談で言ってみた。

「神秘なんかないよ！　僕になんか。」

キュウくんはげらげら笑った。

「たとえば美大なんかでは、僕くらいの実力の人なんてた〜くさん、たくさんいるんだから。」

私は言った。

「でも、キュウくんはキュウくんしかいないから。」

この冬は一回しかないから、あまりたくさん気持ちを言葉に移しかえてしゃべりたくない、そういう気持ちだった。

しゃべるとどんどん消えてしまうものと、増えていくものがある気がする。こういうのは、減っていく類のことだった。

そうやって黙っていたり、しゃべったり、お茶のおかわりをしたり……もうおなかもがぶがぶになったので、帰ることにした。

帰る途中で、ミホさんにばったり会った。彼女の創作に使う布や糸を、大きな手芸の店に買いに行った帰りだと彼女は言った。

「あら、久倉くんと夕子ちゃん！」

と言ったときの彼女の顔には嫉妬のかけらもなく、まるできっちりと決まりでもあるかのような笑顔で手を振っていた。なんだか新興宗教の人みたいだ、このゆらぎなさ、と私は思って、ほんの少しだけいやな気持ちになった。

こっちのほうがいやな気持ちにさせられる……これがこういうケースの特徴だろう。彼に対する気持ちの気味悪いほどのゆらぎのなさを、そうやって知らしめている……性格の悪い私はそういうふうに感じた。これはほんとうにふたりの関係にゆらぎがないのとは違うから、ちょっと暗い気持ちになるんだなあ、と。そう思ってしまう自分がまたいやだという気持ちだった。いやだと思うと、ますますミホさんがきれいに見えてくる。

ミホさんに対するキュウくんの複雑な思いも、少しだけそのかけらを理解できたような気がした。

ミホさんと立ち話をして別れてから、キュウくんと私はまた大きなデパートの前を通った。ウィンドウの中には大きなツリーがあり、金や銀の玉が飾られてきらきらと輝いていた。てっぺんには大きな星があった。そして根もとにはリボンがついたたくさんの包みがあった。

「クリスマスに何か買ってあげようか？」

キュウくんがそんなことを言い出した。

そのとき、さっきミホさんに会った気分の悪さもあるだろう、私は反射的にほつみさんの言ったことを思い出していた。「キュウくんは都合が悪くなると何か買ってくれる」という話だ。

この人が何か買ってくれようとするのは、この人のあまり好きでない面かもしれない、と私は勝手に感じていたのだった。突然めらめらと、一回もいやに思ったことのない彼のいやなところが頭いっぱいに広がった。

「なんでそんなこと言うの？　特になにもいらないよ、私は。」

私は言った。

「お花か、お菓子か、アイスか……消えるものがいい。」

「そんなこと言わないで。」

ウィンドウを見つめながらキュウくんは言った。

「僕は人にプレゼントするのがすごく好きだから、何でも買ってあげたい。だって……いつまでも君が僕といてくれるとは思えないもの。」

「なに、それ？　どういう意味なの？」

私は言った。

キュウくんは恥ずかしそうに答えた。

「君にはわからないよ。僕はいつでも、君に好かれていることに自信なんかもてないから、絶対に離れていくといつでも感じているから。ほんとうの僕に失望して、『夕子命！』みたいな奴とつきあうんだろう、そうしたら僕はさぞかししょげるだろう、と想像してしまうんだ。それでも、君が僕を忘れた頃に、君の古びた宝箱から、僕のあげたものが出てくるところを考えたら、すごく悲しいけれど、どうしてだか僕はちょっとだけ、ほっとするんだ。それを考えただけで、もう、作品がひとつできそう。」

「バカ、バカバカ！　男ってほんとうにバカ！　自己満足！」

私はそう言った。くやしくて涙まで出てきた。私のしたいことはそんなことではないのに、どうしてわからないんだろう、と。

私が涙ぐんでいるのを見て、キュウくんは言った。

「そ、そんなに？」

ほんとうに驚いている様子だった。

「だいたい、なんでそんなこと思いつくの？」

私は怒って言った。

「う〜ん、僕のほうが少し大人だし、お金に余裕があって、そして、君が僕といつまでもいっしょにいてくれる気がしないことで少しいじけているから。」

彼は冷静に言った。その冷静さにちょっと救われた。ほつみさんの話の影が少し消えたのだった。

「あのねえ、お金って何よ。キュウくんに普通の男の人と同じ面があるのはわかってるの。男の人がそういうふうに言いたくなる気持ちも。そういうふうにしか女の子を見ることができない本能的な気取った気持ちもよくわかるの。それはちょうど、私のような女の子がすばらしい色の落ち葉とかどんぐりを拾ってきても、夜眠って起きた頃には忘れてしまうのと同じような、残酷なくせなのよ。でも、私は、そういうところを厳密になおしていきたいの。だから、あなたもくせでしゃべったり、型で行動しないで。なるべく型を疑い続けてほしいの。いい？　私のいない穴は私の型でしか埋められないし、その逆もそうなの。」

「わかった。」

私がすごい勢いでまくしたてたので、キュウくんは神妙にうなずいた。

でも、なんとなく私は思った。キュウくんはきっと、小さい頃、いつでも買ってほしいのに買ってもらえなかったんだろうな、だから買ってくれようとするんだな、と。

「でも、なにか小さなものならいいよ。消えるものでなくても。鉢植えの植物とか。」

私は少し悪かったという気がしてきて、キュウくんの腕をきゅっとつかんでそう言った。

「うん、考えよう。なんか、僕、今なにかだいじなことを聞いたあとの気がするから。」

キュウくんはそう言った。

「なにか楽しくて新しくて、いいことを考えよう。」

そう言ったキュウくんの顔には何か新しい相が浮かんでいて、それは私と作ったも

のなんだ、と思うと私は嬉しかった。小さないやな気持ちは吹き飛んでいった。他人に影響されるとろくなことはないけれど、人間だからやっぱりいちいち影響されてしまう。

ふたりはけんかしたことをさっぱり忘れて、寒いのでまた喫茶店に入った。静かで暗くてコーヒーが苦いお店に。歳の差がどんどんつまっていくような感じがした。

コーヒーを飲みながら、キュウくんが言った。

「そうだ、とにかく来週親に顔を見せに実家に行くから、なにかおみやげでも買ってくるよ。」

キュウくんが急に普通のことを言ったので、私はおかしくなってぷっと吹き出した。

「それはおみやげでしょ、クリスマスと関係ないよ！」

「やっぱり女って欲深い。」

「そういう意味じゃなくて、だって、何？　野沢菜とか？　喜多方ラーメンとか？　そういうのこと？」

「いや……ええと、牛肉とか……あとは千本松牧場の牛乳とか。チーズとか……。」

「だから、それはおみやげじゃん。」

「そりゃそうだね。」

キュウくんは笑った。

「動揺して、何がなんだかわからなくなってた。それはおみやげだよね。」

「キュウくんのおうちって那須なの？」

その牧場には私が小さい頃家族で行ったので、よく覚えていた。馬に乗ったり、犬に触ったり、ぶたにえさをあげたりした。何事にも器用なお父さんが、牛の乳を上手にしぼっていたのが印象的だった。私とお母さんがいくら牛に優しく声をかけても、全然しぼれなかったのに。そして私たちがぐうぐう寝てしまっても、お父さんはしっかりと起きてずっと運転していた。何回目がさめても、お父さんのたくましい背中とハンドルを握っている両手が見えたので、安心して私はまた眠った。

キュウくんは言った。

「うん、おやじが死ぬ前に買った那須塩原の小さい別荘に、今は母親だけが住んでいるんだ。」

「キュウくんのお父さん、いつ亡くなったの？」

「三年前だよ。両親は結局離婚もせず、添い遂げたよ。最後までわりと仲がよかったと思う。」

「お母さん淋しくないのかな。別荘にひとりって。」

「そうでもないみたい。もう、毎日毎日木彫りばっかりしてる。それを近所のギャラリーで売ったりもしてるから、ますますいっしょうけんめい。けっこうよく売れるんだよね、これがまた。」

「売れに売れてる芸術一家だね。」

「いや、僕もあの情熱では母親には負ける気がする。夜も寝ないでいつでも木を彫ってるんだ。小さい家の中がその人形でいっぱいで、こわいくらいだよ。」

「あ、わかった！」

とてもいい考えがひらめいたので、私は言った。

「もしそんなに高価なものでなかったら、その人形がほしい。」

キュウくんはびっくりした顔をして答えた。

「あれだけあるし、僕がほしがるわけだから、きっとただでいいに決まってるんだけど……ほんとうにあれでいいの？」

「見たことないから、わからないわ。どんなものか。」

「見てもしもほしかったら、あげるけど……。あれ……、どうかなあ。気味悪くないかなあ。」

キュウくんは言った。

「もしも君のお母さんがいいって言ったら、いっしょに行こうか？」

「ほんとう？」

「自分の目で見て、選べばいい。で、気に入らなかったときやいらないと思ったときのサインとか、決めておけば、さりげなくそのまま帰れるし。」

「でも……それって作品でしょ？　軽々しくいただけないわ。」

「どれだけの量があるかわかれば、君もそういうことは言えなくなるよ。あれはもう、とにかくちょっと減らさないと、母が押しつぶされそうで。それに、ほんとうに母にとって大事な奴に関しては、母もだめというと思うから。そういうところはすごくはっきりした人だから。」

「キュウくんって、すごくいろいろちゃんと考えてくれるんだね……でも、泊まりなんて許されるはずないや。写真撮って、メールで送って。」

がっかりして私が言うと、

「日帰りでいいよ。今回の個展の写真を見せに行くだけだから。」

キュウくんは言った。

「日帰りなら、いいかも。」

私は言った。

「車で行くから、すぐだよ。」

キュウくんは言った。

「もしもだめって言われても、説得しだいでなんとかなりそうだったら、僕に言って。一応お母さんに頼んでみるよ。」

「うん！」

私は嬉しかった。キュウくんが私を足手まといと思わないことも、私の欲しいものを自分で選ばせてくれることも。

湯気がカウンターの中にたちのぼり、店の人が丁寧にフィルターにお湯を回しかけているのが見えた。その向こうには、にじんだ感じで色とりどりの町の明かりが窓に映っていた。ちょっとずつ、ふたりは歩み寄っていく。仲良くなっていく。


だめでもともとと思い早速お母さんに言ってみたら、

「絶対に日帰りなら、いいよ。」

とお母さんは言った。

あまりにもあっさりと許されたので、私はぽかんとした。

「うちの前出発、うちの前到着でね。それは約束して。で、必ず千本松牧場の牛乳とチーズ買ってきてね。」

とお母さんは言った。

「いいの？」

「あんた、きっと行きたければだめって言っても行くでしょう？　嘘ついて。それを見ないふりするのも面倒くさいし。多分お父さんがいたらだめって言ったと思うよ。だから、あまり遅くならないでね……きっと、楽しみなんだろうね、それって。なんだかお母さんまで甘酸っぱい気持ちがするよ。」

お母さんはちょっと笑った。

あきらめが早くて理屈っぽいところが、お母さんの苦手なところだ。きっと、大切なことを考えないようにするくせがついていて、でも、それじゃいけないと自分を責めてばかりいるからだ。人だからしかたないと思っても、そういうところを見るとちょっと悲しくなった。

「でもさあ。」

私は言った。

「男女の仲でお金を借りて殺しちゃう人とか、ふられてストーカーになったりする人とか、車でひいてまで女の子をさらいたい人とか、最近の世の中にはとんでもない人がたくさんいるのに、私は恋愛のことで、こんなにお母さんと話が通じていて、いいのだろうか。」

「いい、絶対に覚えておいて。」

お母さんは私の好きなきっぱりとしたお母さんに変身した。

「あなたが、普通なの。あんたが普通の世の中のほうが、普通なの。絶対にだよ。」

「やっぱりそうなの？」

私は言った。お母さんは、深くうなずいた。そして言った。

「人は、人の死や、仲間とのあつれきを受け入れるようにはできている。でも、殺人や戦争を受け入れるようにはできていないわ。少なくともそう信じている人がたくさんいるから、人は続いてきたのではないかしら？　もちろん、私たちはみんな小さな箱に入ってものを見ているようなものだから、別の箱から見たら別の考えがあるのでしょう。でも、ここにいるからには、私たちは自分の箱を時には疑いながらもその中にいることを最善として生きていくしかないのよ。」

「うん、言ってること、すごくよくわかる。でも、お母さんよくそんな言葉がぺらぺらというか、すらすらと出てくるね。」

私は感心して言った。

「いつも、こういうことばっかりが書いてある本に囲まれて店番してるからね。」

お母さんは笑った。

「でも、もしたとえばキュウくんが実は悪い人で、私をさらって殺したりしたら、どうする？」

私は言った。間髪いれずにお母さんは答えた。

「ぶっ殺す。」

私はげらげら笑って、さっきまでとの違いをおかしく思った。あんなに冷静にいろいろ言っていたのに！　と。

「だって、私もキュウくんを見ているから、見破れなかったら、それはお母さんの責任でもあるでしょ。でもね、もしもあなたになにかあったら、地の果てまで追いかけて、その人を殺す。自分の命を捨てても、そうする。そういう力が、親にはあるよ。」

お母さんはさらりと言った。

さらりと言われたので、私はまた安心した。このあいだの個展のときと全く同じ感じがあった。私は私の判断で自信をもってやっていい、それでなにかを失敗したら、そこにはどんなにあきれても、見放したくてもそうせずに、最後の最後に私の命を認めてくれる力があるのだというふうに。

その日、お昼になる前にキュウくんが車で迎えにきた。

お母さんは決してにこにこしてはいなかったけれど、お昼に食べなさいとおにぎりを持たせてくれた。

キュウくんは意外にも全然眠そうではなくて、たずねてみたら、

「毎日絶対午前中に起きてるもの。」と言った。

人はわからないものだ。そのあとに続いた、

「規則正しく暮らさないと、僕はほんとうにあぶないから。」

というのが、ますますリアルにそうなんだろうと思わせた。

私はまだいろいろなものを心や体にためていない、それから親の経済と親の生活ペースで暮らしているから、不自由はあるけれど、自分ととことん向き合わなくていい。でもきっとこれからもっと歳をとるにつれて、自分だけで抱えていかなくてはならないそういう重さをなにかひとつは必ず見出すのだろう。うちのお父さんが深いことを考え出すと気がおかしくなってしまうたちなように、お母さんからスピリチュアルな本をとりのぞいたら、もう寄りかかるものがなくなってしまうように。

高速に乗ってしばらくしたらあたりはあっというまに緑が多くなり、まだ少し葉には紅葉の色が残っていた。

「お昼は途中のサービスエリアで食べようか。」

「お母さんのおにぎりでいい？」

「すごく嬉しい。」

キュウくんは言った。私はほっとしながら、言った。

「あと、昨日の夜デパートに行ったから、お菓子をいろいろ買ってきた。」

「それって、うちの親に？」

「うん、そういうのもあるし、車の中で食べる分もあるよ。」

「気をつかわなくていいのに！」

「きっとけん制の意味もあるから、気にしないで！　おいしく食べよう。」

「ありがとう……。」

「だって、私ガソリン代も、高速代も出さないし、そのくらいは。」

「意外に、そういうことをちゃんと考えられるんだね、君って。」

「うん、お父さんが商売人だからね。現実的なの。」

私は笑った。

「高価じゃない骨董で生計をたてるためには、ほんとうにいろいろな工夫をしなくちゃいけなかったみたい。」

「そうなんだろうなあ……。」

キュウくんは言った。キュウくんの運転はとても上手で、ちょっとひ弱な感じがまた彼らしかった。私のお父さんのがっちりとして無骨な運転とは違う。車線を変えるときも、お父さんみたいに窓をあけて片手をあげたりしない。

「お金のことって、大きくなればなるほど、なんか抽象的な部分が増えてくるから大変だよね。」

「そうなの？」

私は言った。

しゃべっている内容よりも、運転をじゃましない程度の深さの話を、景色を見ながらしていることが、その雰囲気が大事だった。空はちょっと曇っているけれどきれいな青があちこちにのぞいていて、向こうの山は枯れた黄色だった。遠く近く、三角の形がなめらかに続いている。

「私はまだ自分で働いてお金をもらっていないから、よくわからない。」

「わからないと言ってはいられない場所に来てしまっただけで、僕も同じだよ。」

キュウくんは言った。

「昨日、お母さんの本屋さんで売っていた本を読んでたんだけれど。ジョン・レノンの本を。そうしたら、とにかく全編を通じて、すごく苦しそうだった。お金のことで。」

私は言った。

「わかった、片岡義男の訳した有名な本だね。お母さんの本屋さんに必ずいつもあるよね。」

キュウくんは言った。

「あれ、僕も読んだ。自分ではいやな人といやな仕事をしていると思っていたら、いろいろな要素が働いて異様にいい仕事になってしまって売れすぎてしまったときの苦しみっていうのかな、そういうのを感じた。」

「うん、私もそう思う。ヨーコさんとふたりになってからのほうが、ジョンは普通の精神状態でいられていると思った。育ってきた環境が彼を爆発させせただけで、問題なければ本来はああいうタイプの人だったんだろうと思えた。それから、ずっと同じ人たちと同じような顔ぶれで、大きなお金がからみながら過ごすって、ほんとうに苦痛なことなんだろうなあって。キュウくんが個展でいろいろな人とあいさつしたり、作品を買ってくれる人にありがとうと言ったり、作品がいいところに行くかどうかわからないのに送り出したり、そういうのを見ていて、たいへんだなあ、と思った。そういうのと同じようなものをあの本から感じた。」

「ビートルズとは規模が違うよ！」

キュウくんは笑った。車の走る道は落ち葉が散っている川のようだ。色とりどりの車がずっと流れていって、追い抜かれたり、すれ違ったり。

「ジョンが殺されたときにかけていた割れたメガネをジャケットに使ったでしょ？それを見て『残酷すぎる』って言った人がいて、ヨーコさんは『私はもっとすごいものを見た』って書いていたの。血だとか、脳のかけらだとか、そういうものを見たのに、なんでそんなことを言えるの？　って。それが、すごくよくわかった。人間はどんなすばらしいものを創っても、やっぱりほとんどが水でできているから。どろりとしたもので。仕方ないことなの、きっと。何かしらよどんだことが必ず関わってきて……汚れた水を出して、死んだり、生きたり……それがきっとリアルなことなんだと思う。身近な人のことだとみんなけっこうしっかりそう捕らえるのに、有名な人のこととなると、ついそういうことを忘れがちになるよね。私はキュウくんのことをそういうふうにとらえないように努力するよ。」

私は言った。

「大丈夫、いろんな意味で規模が違うから。」

キュウくんは笑った。

「でも、わからないよ？　そのうち、今の作風を極めていって、世界的に有名な芸術家になるかもしれないよ。そうしたら、ジョンみたいに大変になるかもしれない。そうしたら、私もキュウくんの古くからのガールフレンドとして、すごくいやらしく欲深く変化するかもよ。」

私は大まじめに言った。キュウくんがあれだけ本気でこの作風を突き詰めていけば、それはありうることではないかと思った。そうなったときに私はどういう距離にいても、いい気持ちでいられるような自分でいたいと思ったのだ。逆もしかりで、キュウくんがやがて全然だめな人間になって、作品もだめになって、私がキュウくんを大嫌いになっても、今のこの気持ちが穢れないような自分でいたかったのだ。

「僕はいろんな意味で、そんなに浮き沈みはないと思うよ。作品も地味だし、なんと言ってもロックスターっていうのは比べ物にならないくらい華やかだから！」

キュウくんは言った。

「でも、ジョンはすごいなあ。いやな時期にもたくさんいい音楽を創って、若くして死んじゃったんだなあ。」

「いや、もしかしてつらくていやな時期だからこそ、神様が彼に、死ぬまでそばにいてくれるにふさわしいすばらしい女の人と、いやな時期にもせめてと名声と収入をくれたのかもしれないし。そのおかげで後々まで困ることもあったけれど、自由な活動が約束されたじゃない？　きっとそれがごほうびだったのかもよ？」

私は言った。

「ああ、いろんなことを君みたいに考えられたら、どんなにいいだろう。」

キュウくんはまじめにそう言った。


サービスエリアのベンチの近くではみんなが煙突みたいにタバコを吸っていたので、少し離れたところで窓をあけて、おにぎりを食べた。空気がおいしくて、風がとがったように冷たかった。おにぎりはいつもと同じ味なのに、外で食べるとものすごくおいしくて大胆な味に感じられた。ウインナーが入ってたり、チーズが入ってたりして、おかずといっぺんに食べている感じだった。キュウくんはすごく喜んでたくさん食べた。

キュウくんの四角くて小さな爪のところにのりがちょっとくっついていて、きゅん

となった。

風に吹かれながら。

「空気がきれい、空気に味があるね。おいしい味がする。」

と私は言った。

キュウくんは、

「全く、運転してないからそういうことが言えるんだよ。」

と言いながらも、うさぎのように鼻をくんくんさせて、そのあととてもいい顔をした。


香ばしいものをかいでいるときの猫みたいな顔だった。

さすがに初めの頃よりはいろいろ苦手な面も見えてきた彼だが、私はこういう瞬間に、ふと彼と同じだけなにかを受け取ることがある。高みから風がやってきて、きらりとなにかを置いていく感じ……自由が降りてくる。

はじめて彼を気に入ったときと同じ感じだ。

おにぎりで満腹になって、カップのコーヒーを立って飲んだ。

コーヒーは薄くて、限りなくお湯に近かったが、私はほとんど幸福といっていいような感じがしていた。冷たい空気、遠くの赤や黄やいろんなまぶしい色に覆われた山々や、くっきりとした青空や。そして、手の中にはまるで小鳥みたいに温かいコップがあった。濃い色の表面がなめらかに揺れていた。コップの表面はとてもざらざらしていて……まるで子供のとき、泥遊びをしていたときのように、全ての感触だけが際立ち……。

「普段はいろいろなことがつらくてうっとうしいと思うことのほうが多いんだけど……」

キュウくんが突然言った。

「今、僕はほとんど幸せといってもいいような気持ちだ。」

眉をちょっとしかめて、そう言った。

私も！　ほんとうにそう思ってた！　って言いたかったけれど、言えなかった。あまりにもそうだったので、口に出せなくなってしまって、薄いコーヒーの味といっしょに飲み込んでしまった。

ああ、空のうんと上のほうから見たら、幸せなちっぽけな人間が小さく寄り添っているのが見えるだけで、ふたりの歳だとか、これまでしてきたこととか、日常を彩る癖だとか、そんなの一切見えないのだ、そういうふうに、ふっと浮き上がりそうな感じがした。目を閉じて、まつげの先で感じるくらいにかすかなきらめきを、私は見つくした。

キュウくんのお母さんの家は、那須塩原の観光メインの通りからちょっと入ったところにあった。もうちょっと登っていくと公共の温泉や殺生石があるあたりだ。

家族で来て以来の景色で、うんと懐かしかった。朝早くに家を出て、日帰りで温泉に入りに来たこともあったっけ、といろいろ思い出した。すごく熱いお湯があって、ほかに人がいなかったので私はきゃあきゃあ言いながら、今よりも若いはだかのお母さんに抱きついた。お風呂から出て、川沿いで待っていたら、濡れた髪の毛の、今よりも髪の毛が多いお父さんが廊下を渡って歩いてくるのが見えた。

ああ、時間が過ぎている。全く変わらないようすの同じ場所に、こうやって時間がうんとたってから来ると、そういうことにすごく強く気づかされてしまう。

子供が小さいうちは、夫婦はいい言い訳を作って仲良く出かけられるんだなあ、と思った。今でもあの頃みたいに、三人で川の字で寝たいとは正直思わないけれど、そうなったらそれはそれですぐに私は子供の立場に素直に戻れる気がした。

懐かしい、まだ十四歳なのにもう懐かしいなんて悲しい。

ちょっとした渋滞を抜けて、そのうっそうとした緑に覆われた、きれいな庭のある家についた。キュウくんはことに駐車が上手で、すうっとその家の前に車を停めた。

しばらく荷物を降ろしたりしていたら、キュウくんのお母さんが出てきた。

うわ〜、変わった人だ……というのが私の印象だった。

なんだかぼうっとしていて、でも目がぎらぎらしている。顔は、なんといってもアン・ルイスに似ていた。

そして、あの、ほつみさんにも。

そこでちょっと胸が痛んだ。その点では永遠に勝ち目がないっていうことだ。

キュウくんのお母さんの服にはとてもきれいな特別なピンク色の布がたくさん使われていた。ぱっと咲いたぼたんの花みたいな人だった。

「うわあ、これはまたずいぶんと若くてかわいいガールフレンドね！」

とキュウ母は笑った。

歯ぐきまで見える豪快な笑顔だった。髪の毛がぼさぼさなのがまたチャーミングだった。

「はじめまして。」

　と私は言った。そして家の中に入った。

　家の中のどこをどういうふうに見ていいのか、わからないくらいに、そこにはただただもういっぱいの、家を覆いつくすほどの量の、木彫りの精霊たちがいた。

　そう、キュウ母が彫った、木でできた生き物たちが、家中にあふれんばかりに、気が違いそうなくらいあちこちに、置いてあったのだ。彼らは、生きていた。私には少なくともそう見えた。

　それは確かにちょうど、あの日、キュウくんと通じ合った日に走り抜けていった生き物みたいな、小人みたいなものたちだった。

「きっとキュウくんのお母さんには、ほんとうにこの子達が見えてるんですね！」

　と私は言った。

「そうなのよ。早く走っていってしまうので、描きとめて、彫るのが大変！　しかもたまにしか見えないから、見たときのことを何回も反芻して、アレンジして、想像を膨らませて、もう止まらなくなるけど、さっとは創れない。もしも画家だったらもうちょっとくらいは楽だったのかもしれないと思うわ。」

とキュウ母はお茶を入れながらさらっと、さりげなく言った。

大きいもの、小さいもの。いろいろな目の形、カッパみたいなもの、小人、木の精みたいなもの、花みたいなもの。羽根のあるもの、そんないろいろな生き物の像が、みんな私を珍しがって、普段は生きて動いているのに、今はわざと動かないようにしているみたいに見えた。テーブルの上や、脚のところや、つんである本のわきや……あまりにもたくさんなのでもう置き場がないようにも見えたし、夜中にはいっせいに動いて好きなようにふるまい、朝になってさっとストップするときにそこに落ち着いたようにも見えた。そのくらい、適所に生き生きと置かれているのだった。まるでこの家自体が美術館か、もしくは森の中みたいだった。

彼らに囲まれた私は、これまでにいくつも過ごした孤独な夜のことを思った。

私が私であることで、たまらなくなって泣いたたくさんの夜のこと……同じ年の子達と理解し合えないことがまだつらかった頃、誰ともう心を通じ合うことはないんだと思った幼い日々に、なんとなく「そうじゃないんじゃないか？　たとえばリビングにいけてあるあの小さいガーベラが、その美しさで実は私をなぐさめようとしてくれてやしないか？」なんて思ったときのことなんかを思い出した。

そういうときは、花の姿を借りて、やはりこういうものたちの気配が私をあたため

ていたのかもしれない、と私は大まじめに思った。

そして、こういう類の生き物が、私とキュウくんを出会わせるために、あの時、姿を見せてくれたに違いない……現実世界で行き詰っていた私とキュウくん両方のために。通じ合える言葉を持っていることをわからせるために。

そういうふうに思ったら、なんだかわからない涙が出てきそうになった。

地球にいるのはきっと、私たちだけじゃないんだ！　目に見えないものはたくさんあるんだ……というような感慨だった。それがたとえ幻だとしても、少なくともキュウ母の中に存在するこうした精霊たちを見るような、同じ精神の状態に私とキュウくんがあって、そしてこれまでも顔は合わせていたけれど、そのときはじめてめぐりあうことができて、私のはつ恋めいたものが始まった。

そんなからくりの全てが、過去からの贈り物のように感じられたのだ。


「運転して疲れたからちょっと寝る。」

と言って、キュウくんはソファーにごろっと寝た。そして目を閉じてすぐに寝てしまった。背中を丸めて、毛布をぎゅっと首までひきあげて、まるで小さい子みたいだった。キュウくんの個展の写真を見て、キュウ母がとてもまじめに彼をほめたので、キュウくんはほっとして気がゆるんだようだった。そういうところは男の子らしく、仕事の先輩でもあるお母さんに弱いようだ。

そんなふうにくつろぐキュウくんを見たことがなかったので、ああ、ここは彼のお母さんの家なんだな、とはじめて実感を伴って思えた。

そういうことでもないと、とにかく彫刻たちに気をとられてしまって、人の家という感じがしなかった。これまで見た中でここにいちばん似ているのは岡本太郎さんの記念館の庭だ。木陰にも敷石の脇にも電灯にも精霊のようなものたちが置かれていた。でもみんな置かれているだけではなく、植物がからんだりしてそこにすっかり溶け込んでいて、気が向いたときにこちらをちらっと見たり、うろうろと歩きまわっているように思えた。それはつまり、その空間丸ごとがその人であり、その人の作品であり、ビジョンだということではないだろうか。

キュウ母は、にこっとして、

「いつでもこの子はここで寝るのよね。泊まりに来てもここで寝てるんだよ。ここで育ったわけではないから、ここはもうずうっと私だけの家になっているから、きっとここがこの家で唯一、この子の場所なのね。」

と言った。そういう感じはとてもよくわかった。

「もう少しこの像たちを見てまわってもいいですか？　見ているうちにいつのまにかいろいろなところに入っていってしまいそうで悪い気がして。」

と私は言った。

「どうぞどうぞ、家中どこでも見ていいわよ。散らかってるけど。」

キュウ母は言った。

「たまに展覧会をやるといっぺんにみんな出て行って、そのあいだに掃除して、帰ってきたらまたてきとうに飾るんだけど。きっといつか、私が埋もれちゃうね。」

木でできているからといって、決してそれらはざらっと粗く彫られているのではなかった。むしろなめらかで、つるんとしているものが多かった。どの像も目だけが妙にリアルに魂を宿していた。もしも私が姿のない精霊でなんとなくこの家をうろうろしていて、こんなものがあったら「ここに宿ろうかな」と思っただろうと思う。そうやっていつのまにもう、みんな生きているんじゃないか？　と思うくらいに、像たちには性格のようなものが感じられた。

私はひとつひとつの像をていねいに見てまわった。柱の陰や、机の脚の下や、カーテンの脇や……トイレの棚にあるのまで、見上げた。

「その子は持っていかないでね、トイレの守り神だから。」

キュウ母はたまに私のようすをのぞき、そうやって解説をして笑った。

「この家は、古い農家をそのまま移築して、天井だけ抜いて作ったの。だから、建物自体はとっても古いのよ。そうそう、お風呂は温泉をひいているんだから、あとで入りなさいよ。硫黄泉だから、すべすべになるよ。あ、そうそう、お風呂の守り神も持っていかないでね。硫黄で黄色くなって、半分腐って溶けてこわい姿になっちゃったから。でも、これだけあちこちにあると、もう、お風呂だけに置かないってわけにいかなくて。」

「この像って創るのにどのくらい時間がかかるんですか？」

「徹夜ばっかりして一週間くらいかなあ。二十代から彫ってるから、古いのもあるよ。」

キュウ母は笑った。

「いつかここで、像に埋もれて死ぬのが夢なのよ！」

「そんなあ。」

と私は笑ったけれど、きっと本気なんだな、と思った。だから適当に反応した自分をちょっと恥ずかしく思い、

「埋もれるまで生きなくちゃ。あと五十年は絶対に！」

と言い直した。

知らない家でお風呂に入るのは、不思議な感じがした。でも、カレーを作るというキュウくんのお母さんに「手伝いましょうか？」と言ったら、

「自分ちの台所に人がいると緊張しちゃうよ。慣れてるから大丈夫。あとで洗いものだけ手伝って。」

とさっぱりと言われたので、きっとほんとうにそうなんだろうと思って、すすめにしたがってお風呂に入ることにしたのだ。

キュウくんはまだぐうぐう寝ていた。

お母さんのもとで、このところずっとの疲れを癒しているかのように。眠りが彼の疲れを吸い取って、いつのまにか解放しているみたいに。

なので、私はとにかくお風呂に入った。タイルは黒ずんでいて、たしかに窓辺に置いてあるお風呂の神様は溶けたようなこわい姿になっていた。でも目がくりっとしていてかわいく、外の大きなイチョウの木に似合っていた。そう、庭の木がやはりまだ黄や赤に染まっていて、まるで遠い山の上にきたようないい匂いがしてきた。立ちのぼる湯気がどんどんと、きれいな空気の中に溶けていく。少し黄色いお湯が肌にしみ

るようだった。髪の毛まで硫黄の匂いになって、つやっと光る感じになった。ほかほかになってあがると、キュウくんがすっかり目をさましていた。

「家に温泉がひいてあるってすごいよね。」

とキュウくんは小さいまな板の前でくるくるとりんごをむきながら言った。向こうにはキュウ母の後ろ姿があり、スパイスのいい匂いがしてきていた。窓の外はみるみる薄暗くなってきて、木の枝と葉が窓にシルエットになって浮かび上がっていた。

何も音楽がかかっていなかったし、TVがなかったので、ちょっとした音が高い天井にきれいに響いた。包丁の音、りんごの皮をむく音、ちょっとした動きの音……こんないい感じの夕方は久しぶりだった。

キュウくんがささっとお風呂に入っているあいだに、カレーはすっかりできあがっていた。白菜とりんごのサラダもできた。

つつましく、静かに、木のテーブルの上で私たちはおしゃべりしながらそれを食べた。お皿の音も、フォークの音も、サラダボウルが机に当たる音も、私たちの声や咀嚼の音も、音楽のようにその場に合っていた。

濡れた髪のキュウくんは、子犬のようだった。ほんとうは抱きついてタオルでふいたり、チュウしたり、胸に顔をうずめたい。でもそれが肉欲なのか？　私にはそのへんがほんとうにわからなかった。わかっているのは、私にはそういうものの延長線上にそういうことがあるけれど、キュウくんにとってはもはやきっと違うだろうということだけ。

私はちょっとしたボーイフレンドとキスしたことがあった。お父さんのステイ先に遊びに行って、知り合ったアメリカ人の男の子と。でも、それを察したお父さんが私から毎日離れなくなり、私もキスしたら急に彼の鼻息なんかが気持ち悪くなってそのまま帰国してしまったので、ちょうどよかったのだ。

いずれにしても、まだ考えるようなときではないのだろうと思った。

「夕子ちゃんの家は、きょうだいはいるの？」

「一人っ子です。お父さんは今アメリカにいるので、お母さんとふたりでいます。」

「お仕事で？」

「父は、骨董屋さんと雑貨屋さんの中間みたいなお店をやっているので、買い付けの旅に出て、なかなか帰ってこないんです。」

「そうなの。その服もアメリカの古着？」

キュウ母は私の花柄のスカートを指差した。

「そうです。去年のお誕生プレゼントでした。」

「とてもすてき、あとで写真に撮らせて。」

キュウ母は言った。

「うちの近くにも同じように木があって、窓の外にこうやって影になっているのに、どうしてここのはよりくっきりとしてきれいに見えるんでしょう？」

私は言った。

キュウ母は、にっこりとした。

「空気がきれいだから、なんでもくっきりと見えるんだよ。」

とキュウくんが優しく言った。このふたりに好かれている感じがする……と私はちょっとどきどきした。きっと同じ言葉をしゃべれる人だと、ふたりは思ってくれたんだ、そのとき、なぜかそう感じた。


「そういえば、俺、ずっと気になってたことがあるんだけど。」

キュウくんが言った。

みんなで牧場の売店が終わらないうちに行かなくちゃ、と牛乳やバターを買いに出て、冷蔵のケースの前でついでに生ハムなんかを見ているときのことだった。そういうときだからこそ、子供時代を思い出して彼にもさらっと言えたのかもしれない。なんと言っても、ここはお母さんのなわばりで、キュウくんにとってはなにもかもが懐かしい世界なのだから。

キュウくんは、さりげなさを装いながら、そしてわりと軽い調子で聞き始めた。きっとはじめから、この訪問で聞いてみようと思っていたんだな、と私は思った。自分のことを俺、と言っているところにすでに決心があらわれている。

「あの……昔、出て行ったときのことだけど、どうしてあんなに間があいてから、帰ってきたの？」

キュウくんの様子には、そう言ってしまってから、突然きりっと緊張してきた感じがあった。私にもそれが伝わってきて、思わず牛タンを持とうとした手が止まった。

「え？　そうだったっけ？」

キュウ母はそう答えた。

キュウくんは続けた。

「僕が幼すぎて知らされなかっただけで、たとえば、他の男の人のところに行ったとか、そういう事情でもあったの？　あのとき、お母さんは、僕の目が見えなくなったと聞いたのに、どうしてすぐに連絡をくれなかったんだろう。俺、それが今でもそうとう気になってるっていうことが、このあいだ夕子ちゃんと話していてわかったんだ。何の気なしに聞けないっていうこと自体が、気にしているっていうことなんだって。だから、今回せっかくだから聞こうと思ってたのに、今まですっかり忘れてた。ここでなぜか急に思い出したから、今、聞いた。」

キュウくんはまた、ほんの少し傷ついた、子供のようなあの表情をして、そう言った。

「あんた、聞いてないの？」

キュウ母はびっくりして言った。

その時の、蛍光灯にこうこうと照らされたその親子のかわいい表情の数々を、私はきっと一生忘れないだろうと思う。背景は山積みのミルクだとかバターだとかパンだとかチーズだとか……。売り子さんの声がいくつも重なって響き渡る、ありふれた観光地の売店の中で。

「出て行ってすぐ、私は沖縄のおばあちゃんのところに行って……そうしてしばらくしたら、なんだかわからないけれど、ぶつぶつができてきたわけ。すごい熱も出て。

それで、病院に行ったらなんと、はしかだったの。それでもうどうしようもなく入院して、外にも出ずにじっとしていたわけよ。ひどいなあ、そのことはすぐに電話してお父さんにちゃんと言ったのに！　もうあの人はこの世にいないから文句も言えないけど、あんたのことが心配で、すぐに戻りたかったけれど、戻るに戻れないから、いっぱい伝言頼んだのよ！……さては、私が思っている以上にお父さんは弱気で、私がもう戻らないかもとまだ思っていたんだわね。それで、ぬか喜びさせまいとわざわざ黙っていたんだわ……。」

キュウ母のコメントも最後のほうは、ほとんどつぶやきだった。

そしてすてきなことが起きた。キュウ母は、キュウくんをぎゅうと抱きしめたのだ。買い物のかごを床にいったん置いて、ぎゅうと。

「ごめんね、知らなかったなら、それはつらかったわね。子供のあなたにとって、それはどんなにか長い時間だっただろうか。」

キュウ母は泣いていた。

キュウくんは、冷静な顔をしていたけれど、肩越しの目がうんと優しくなった。

「あなたにはわからない、母というものがどんなに、どんなにか子供を置いて家を出たりしたくないものか。今でも忘れない、あのときは、体がひきちぎられるような気がしたよ。」

キュウ母は言った。そして私に向かって、

「子供をうんと愛しているというだけで、ハーフだから表現が人げさなだけで、おかしな親ではないのよ。いやな姑でもないよ。」

と言った。

「その違いは、すごくわかります。だって今、聞いているだけで、私も涙が出てきたもの。」

と私は言った。いろんな光と黄色がにじんで見えた。幼いままのキュウくんがずっと気にして取り残されていたあの空間が、今、あっけなく消えていったのだ。彼の中でなにかが大丈夫になった、その瞬間を見た。そうしたら涙が出てきたのだ。そして私は「やっぱりハーフだった……アン・ルイスを思い出すはずだわ」とも思っていた。心のすみっこで、これ以上泣いてしまわないように、冷静に。ハムとか牛乳に囲まれて、幸せな親子を私は見た。見ていないときっと後悔するシーンだったから、自分の気持ちはあとにして、見続けた。ふたりを包む柔らかい光を。

人はみんなきっとそれがほしくて、でも、それはとてもむつかしいことで、だからこそ。

ほんとうはキュウくんを置いて、私だけ帰れたらよかったと思う。

その親子が、ずっと残っていた小さなわだかまりから完全に解放されて、やっと普通に過ごせる久しぶりの記念的なひとときを決してじゃましたくなかった。

でも、そこが十四歳のつまらないところだった。ひとりで電車で帰りたいと言っても、キュウくんは許さないだろうし、私のお母さんもあとでキュウくんを怒るだろう。しかたない、それが十四歳ということなのだ。

私は申し訳なく思いながら、何度もその事実をかみしめた。

私はまだ年齢的に自由がきかなくて、彼のお母さんに似ている、彼の一番好きなほつみさんとは違うのだ。

そう思うと、ちょっと苦い嫉妬の味がしたけれど、それでもよかった。もうなんでもよかった。そこまで好きになってしまっていたのだから。ひとりの人のいろいろなことを、こんなにも気に入ってしまって大丈夫なのだろうか？　後戻りができないくらいになってしまって、これから私はどうするのだろう？　心配なくらいだった。せっかく嫌いなところを見つけても、結局ちゃんとした理由があってそこがクリアになり、またすぐ好きになってしまう。

みんなでもう一回キュウ母のおうちに帰り、濃いコーヒーを飲んで、戻ることになった。

キュウ母はていねいに、おいしく、見栄でもなんでもなく、豆を大事にしている感じでコーヒーをいれた。

私たちはなんとなく無口に、コーヒーを飲んだ。別れ際の時間は、なんとなくしっとりと重くなるものだ。これはそんなに悲しくない、水を含んだガーゼみたいに、きれいな重くなり方だけれど。私が見ていたのは、それから目をそらすことがないふたりのあり方だった。

お父さんがアメリカに行く日の前の晩に少し似ているけれど、私たちはもっと、わざと楽しそうにしたりする。でも、ドアの開いたところからお父さんの荷造りの背中が見えると、もう、家に二度とはいいことがないような感じになる……あの気持ち。人間はどうして何回も小さな別れを繰り返さないと生きられないのだろう。

そして私はキュウ母に、どの彫像が欲しいかを告げた。

それは、キュウ母が大事にしていそうな、古い本ばかりが入っている本棚の中に入っていた、黄色い小さなカッパくんだった。

その像はちょっとあまのじゃくな感じで私を見上げていた。多分これは子供の頃のキュウくんがモデルなんだ、と私は直感した。

想像上の幼いキュウくんにあまりにもそっくりだったからだ。

私がそれを手にとって見せると、キュウ母はげらげら笑ってキュウくんを指差し、

「これはこの子が小さかったとき、この子を守ってほしいとお願いして創った身代わりカッパなのよ！　さすがね！」

と言った。

「身代わりカッパってなに？」

いつも冷静にしゃべるキュウくんなのに、そのときは恥ずかしいのかかなりつっけんどんに言った。

「幼いあんたが通学路とかで事故に遭いそうになったら、これが割れて守ってくれるはずだったの。笑わないでよ、本気でお祈りして創ったんだよ。絶対に効力はあったはずだよ。」

キュウ母は真顔で言った。そしてそのカッパを優しくなでた。

「創りながら、これに魂が宿って、私の手の届かないところであの子に悪いことが起きそうなとき、絶対に身代わりになってくださいって神様にお願いしたのよ。」

私はとにかく首を振った。

「そんな大事なもの、いただけません。」

「いいよ、もうこの子は立派に大きくなったから。それに、ここにあるよりも、夕子ちゃんの家にあるほうが、まだ息子の近くにあるっていう感じがするし。」

キュウ母は微笑んだ。

「今でも、これを創ったときの自分のほんとうに本気だった気持ちを思い出すと笑顔になるわ。私はお母さんとして失格なところがたくさんあったから……たとえば木彫りに没頭していてミルクをあげ忘れちゃったり、つい考え事をしていて子供が階段から落ちちゃったり。もうそのたびに青くなったり白くなったりしながら、反省して神様にお祈りしたものだわ、無事でありますようにって。どんなふうでもいいから、どうかこの子の人生をこの子がまっとうできますようにって。たとえ親がちょっとできそこないでもって。」

キュウ母は言った。

私は「できそこない度はうちのお母さんとあまり変わりないわ、これは、世代的な特徴なのかもしれない」と思って聞いていた。そしてキュウ母は続けた。

「私ができそこないで私がひどい目に遭うのはしかたないことだけれど、そういう私が親になってしまったことで、バチがあたってこの子が死ぬことが、いちばんこわかったのよ。とにかくこわかったから、ただただもう真剣にお祈りして創ったの。それしかできることがないっていうのが、今思うと情けないけど、でも、その頃は小さいこの子を抱えて、とにかく必死だったのよ。だから、夕子ちゃんが大事にしてくれたら、いいのよ。そうそう、案外、こいつが浮気したりしたらぱかっと割れるかもよ！」

「でも……。」

キュウ母は自分の言ったことに受けてげらげら笑っていたが、私はまだいろいろなことを考えて、迷っていた。すると、

「僕もたまに見たいから、ぜひもらってよ。この家にあったら、このかわいい、モデルが僕の像が、他の変な奴らに埋もれちゃうもん。」

とキュウくんが言った。

「あんたもこれが他のとはちょっと思い入れも出来も違うって、認めてはくれるわけね。」

キュウ母は笑った。

この人たちは、私とキュウくんが別れて口もきかなくなり、このカッパが永遠に私

の手元でいやな思い出に変わるとか、私が思い出したくなくて捨てちゃうという可能性を全然考えないのだろうか？　なんて気のいい人たちなんだろう、と私はしみじみ思った。それに、今この空間で、歳が下の私がとてもかわいがられているということも嬉しく思った。

「じゃあ、やっぱりこれにします。そして、うんと、大事にします。」

私は言った。

「それを、選んでくれたことがすごく嬉しいのよ。包むわ。」

「包まなくていいです、抱っこしていきます。」

「包まなくちゃ、だって、プレゼントだもんね。すぐ開けてもいいから、包もうよ。今、リボンとか包みとか持ってくる。そういうのいっぱい持ってるから。」

キュウ母はそう言って、席を立った。

私とキュウくんは温かい床に座って、その時にはふたりはほんとうにリラックスして、手にはミルク入りのおいしいコーヒーを持っていた。

キュウくんのカッパは、私の前で私をにらんでいた。あまりにもその顔がかわいらしくて、その表情はキュウ母が、キュウくんに寄ってくるかもしれない悪い運命を絶対に近づけまいとする祈りに満ちていた。そのカッパは生きていて、キュウくんが大きくなってしまった今もまだその仕事を続けたいと思っているいっしょうけんめいな感じがした。

「この像は、こんな自然の多いところから、うちなんかに来てもいいのかなあ？」

「大事にしないと、走って逃げちゃうかもよ。」

キュウくんが笑って言った。

「そうしたら、抜け殻になっちゃうのかなあ？」

「いや、僕には彼らの存在の仕組みはよくわからない……。」

「大まじめにこんなこと話して、私たちって……ばかみたいね。」

「ほんとうはあれ、幻だったのかな？　あのとき、僕たちは同じ夢を見ただけなのかな？」

「ううん、違うと思う。」

私は言った。

「ここにひとりで暮らしているお母さんは、きっと、いつだって見てる。たとえ見てなくても、見えてるのと同じように彼らの存在を感じているに違いないわ。人間はきっと、昔にはああいうものたちを見ることができたんだよ。だって、沖縄に行ったら、みんな信じていたもの。なんだっけ？　あの赤いの。」

「きじむなー？」

「そうそう、がじゅまるに宿ってるっていって、枝がだんだんと長くなって門が覆われても、決して切ろうとしないじゃない？」

「そうか、そういうことから離れてる現代っていうのも、短い時期なのかもね。いつかまた人はそういうものを見たりすることが普通になるかもね。」

「もしも見えなくても、そういう存在があるっていう独特な感じを、遠い記憶を、キュウくんやお母さんみたいな人たちが芸術で表していくんだと思う。」

「うん、僕たちはいつでも、無意識にそういうことをしているのかもしれないね。」

床に寝転がって、私たちは話した。

時間は幼い頃に戻っていくようで、どんどんふたりの歳の差は縮まっていった。


カッパのことが決まったら私は急に眠くなってきて、キュウ母がそれを真剣に包んでいるあいだにソファーでちょっとうたた寝してしまった。

人の気配と、家の外のでっかい夜の気配が私をすごく落ち着かせて眠くさせたみたいだった。

そして私はその一瞬のあいだに、とんでもない夢を見た。

私が自転車に乗っていて交通事故にあい、死んでしまうのだ。

交差点のわきのガードレールに、私の体があおむけになっているところを、私は上から見ていた。顔は全然けがしてないっていうのが夢っぽいけれど、とにかく私は完全に体から離れて、自分の死んだところを見ていた。髪の毛がはねているし、口がぽかんとあいていていやだなあ、なんて冷静に思いながら。

そして私の死体を囲んでお父さんとお母さんが大泣きしていた。ふたりのその泣き方といったら、もうこの世は終わったというような大騒ぎなのだ。お父さんは空港からかけつけたらしくて、髪の毛もぐしゃぐしゃで目の下がくまで真っ黒だった。お母さんは気が狂ったみたいに私にすがりついていた。ふたりは、この世でいちばんすばらしいものが消えてしまったような様子をしていた。

お父さん！　と思って私は目を覚ました。

するとそこはとても静かな林の中の家の夜だった。他のふたりのトーンは変わらず、キュウくんは雑誌を読み、キュウ母は後片付けをしていた。涙がほほをつたった。

涙をぬぐいながら、今夜、お父さんに電話をしようと決心した。

「うんと気をつけてね、今日も一日、絶対生きていてね。そして、会いたいから顔を見せに帰ってきてね。私はまだ子供なんだから。」

そう言おうと。思えば、そんなふうに素直に何かを言ったことはなかったのだ。でも、そういうことこそが私のするべきことなのだと私はさとった。お父さんがほしかったら、いじけていないで、自分の力を使わなくてはいけないんだ。

「急に飛び起きたから、何が起きたかと思った。」

とキュウくんは雑誌から顔を上げ、落ち着いた声で普通に言った。

私は、

「夢見てびっくりしただけ。」

と笑った。夢のことはしゃべらなかった。そのことも含めてそれは、私がちょっとだけ大人になった瞬間だった。

これまでは子供らしさをさらけだすのがいやで、私をある意味で捨てたお父さんに意地を張っていた。しかし、違うのだ、どんどん電話して、私に背中を向けているが、私を好きであるに違いないお父さんをどんどん見て、これからの関係を作っていけばよかったのだ。

一人っ子である私は、私だけを見ていない状態の両親に対して、怒りをおぼえていたのだ。子供っぽく、永遠に自分だけを見つめて自分だけをいちばんにしてほしいと。

でも、その夢を見たとき……それは正夢ではなく、久しぶりに男の人が運転する車

に乗ったことと、さっきのカッパの話が混じって見せたものだとわかっていたのだけれど、私はそれでもお父さんとの関係……というよりも、私自身の中に今、なにか矛盾があることをさとった。

ただ生きていてくれればなにもいらないと私はずっと思われている、そして私たち家族は、私が思っているような甘くてかわいい意味では大丈夫ではないかもしれないが、思っているよりもずっと絆がかたくて、今、私がとても幼くて「私だけが！」彼らの夢と希望の中心だったときとは別の時期に移行しようとしているだけなのだということを。それぞれの人生……しかし、彼らにとって私はある側面では永遠に、夢と希望なのだということを。

私は、私にとって気にくわない、私中心の状況でないという気持ちを、お父さんの不在に重ね合わせて大げさに悲しんでいただけなのだ。もしも視点を変えて、私が少しだけ大人になったなら、私たち家族は……何も問題がない。問題はお父さんが忙しいことじゃなかった、私だったのだ。

私さえ、これからのことを受け止めていけたら、たとえ万が一彼らが離婚しても私は大丈夫なのだ……。でも、多分彼らは離婚しない。私が心の底では執着していたような若い頃の生き生きとしたふたりではなくなってきたかもしれないけれど、ふたりは別に、たいして問題のある状況じゃないのかもしれない。あきらめてほしくなかったのは私だけで、ふたりはそれぞれとしては案外ほどよい時期なのかもしれない。それに、まだ先の、もっといっしょにいる時期さえ見据えているのかもしれない。

お父さんのせいじゃない、私のせいだったのか、と私は愕然とした。私の苦しみは全部、まだ幼い私の心のせいだったんだ。

身代わりカッパを見たとき、なぜか私は、私のお母さんがそしてお父さんが、どこでどういう暮らしをしていようと、私をどれだけ愛しているかはかりしれないということがなぜかほんとうによくわかったのだ。

カッパにこめられた親の祈りというものが、時を超えて私に届いたのだろうと思う。

キュウ母は、ものすごく派手な金色の紙と赤いリボンでカッパの像を包んでくれていた。そして私たちが出るとき「また来てね。」と笑って玄関まで出てきた。さすがこの土地に慣れている感じで、寒い寒い風が吹いているのに、カーディガン一枚だった。そうだ、この人はここに住んでいるのだ。

こんなに激しく四季が訪れる、キュウくんとは違う世界に。

そうだ、どの家だって、いつしか家族はこうやってそれぞれの世界を取り込みながら、離れて、形を変えていくのだ。うちにそれが今まさに始まっているように。

車に乗り込み、胸の痛みを感じながら、私は包みを抱き、助手席に小さくおさまった。そして車は動き出し、私はキュウ母に手を振った。窓をあけて、冷たい風にさらされながら、いつまでも振った。

だいじなものをくれたその人に。

頭は冴えていたし、ちょっと寝たので疲れも感じていなかった。きれいな空気が肺を洗ってくれたような感じだった。

「さて、僕たちの世界へ帰るか。」

「キュウくん、ありがとう。すばらしい一日を。」

「こんなことで、そんなふうに言わないで。そうだ、うちの母に優しくしてくれたお礼に駅の近くのフランス料理をごちそうするよ。」

「また、そんなおやじくさい技を……。」

私が言うと、キュウくんは笑った。

「いいじゃない！　僕はそういうことがしたいんだって！　作品が売れてお金も入ったし！」

「あそこ、お母さんの本屋から近すぎるよ。きっとのぞきにくるよ。」

「そうしたらいっしょに食べればいいじゃない。」

キュウくんのそういうオープンな心は、あの人の遺伝。私はそこがますます大好きになった。なにも悪いところではないじゃないか。

キュウくんのおごり癖をうとましく思ったのは、キュウくんをとりまく女性たちに対する、私の小さなこだわりだったんだ、そう思えた。

出所がわかれば亡霊は消える。

「フランス料理もいいけど、北口のところのマレー風カレーでもいいよ。あれ、大好き。」

「それもいいかも。あそこだったらむちゃくちゃ安くあがるから、パフェもつけるよ。」

そんなふうに車の中でしゃべりあうふたりは、肉体関係もないのに限りなく恋人同士に似ていた。

高い空を風が渡っていき、濃い山の色がぐんとせまって見えた。山影の中をどんどん抜けて、味気ない高速道路へ、あのライトの連なりの中へ走っていくのだ。

それでもひざにカッパを抱く私の体の中には、新しい風がくるくると回っていた。この世界と私とつなげて循環するさわやかな風……もしこの流れをせきとめるものがあるなら、それがたとえ恋愛の楽しさであっても私はしりぞけただろう。

キュウくんの好きな音楽が、車の中を低く流れていた。

しばらくして、トラックの行き交う激しい音の中で、突然キュウくんは言った。

「僕は、ほんとうに、夕子ちゃんと知り合って、よかった。僕の中の何かが戻ってきた。なくしそうになっていた大事なものが。僕はもう、ほとんど君のことを好きといっていい状態になってる。ほとんど幸せに近くて、君のためならなんでもできる、そういうのに近い状態になってる。」

私はびっくりして黙った。

この瞬間のふたりの気持ちはまたしても、まるで同じ人間みたいにぴったりといっしょだったからだ。そんなときに言える言葉なんてあるはずがない。

「なんだ、寝てるのか。せっかくいいこと言ったのにな。」

キュウくんがそう言ったので、私はそれに便乗して、急きょ寝ているふりをすることにした。

かみしめなくては。この瞬間を大事にして。これ以上持てないから、とにかく逃げないようにこの気持ちを、目を閉じて抱いていなくては……このひざの上の生き物(そう、生き物だっていうことをもう私もキュウくんも知っているから)とぴったりとくっついて。

ひざの上のカッパだけが、私のほんとうの心を今、知っている。知って笑っているかもしれない。あるいは連れ出してもらえて、車に乗っていることに、新しい生活に向かってうきうきしているかもしれない。小さい頃いっしょにいたキュウくんの近くにまたいられることが嬉しいのかもしれない。

キュウくんは私が寝ていてもキスしたりしないし、ぎらぎらした目で眺めたりしない。そういう人はいるんだよ、ほんとうに。もっと大事なもののあとにそれが来る人が、と私は心の中で言った。お父さんに、お母さんに、そして同級生たちやなんかに。そして最後には、ひざの上の精霊に。

絶対に不自然なことをしなければ、自然がすべてのタイミングを見つけてくれるんだよ、と。キュウくんはそういう大人に、無事にちゃんと育った。キュウ母が赤ちゃんだったキュウくんの顔を見て、ただただ祈ったことがいくつかはちゃんと通じた。きれいごとじゃなくて、そういうことって、きっとほんとうにありうるんだよ。

そう話しかけていたら、心なしかひざの上の包みがちょっとあったかく感じられてきた。まるで猫とくっついて寝ているみたいで、ほんとうに眠くなってきた。とろりと眠りがはちみつみたいに私の目の奥でゆれはじめた。

この眠りは、生涯の中でもいちばんすてきな眠りだろうな、と私は思った。いつかまた形を変えてしまうキュウくんの気持ちの、最高の、ピークのところがたった今だ。それを私は聞いてしまった。最高だ、はつ恋をして、その相手にも誰よりも自分を好きになってもらった瞬間だ。私は目を閉じて、風と音楽の混じる音を聴きながらそう思った。……時間よ止まれ、もうこれ以上絶対に進まないで！　きっと目がさめたら、体も痛くなっていて、キュウくんも運転に疲れてすっかりこの気持ちを失い、またださるい現実が待っているのかも……。

ううん、でもやっぱり、そんなことはないわ。

私ははっきりとさとった。

私はいつまでだって、こういう小さい奇跡を探し続けていくんだから、と思ったのだ。それが私の戦い、それこそが私の人生なのだからと。

High and dry（はつ恋《こい》）

2004年7月25日　第1刷発行
2004年8月10日　第2刷発行

著　者　よしもとばなな
発行者　白幡光明
発行所　株式会社　文藝春秋
東京都千代田区紀尾井町3-23　〒102-8008
電話（03）3265-1211（大代表）
印　刷　精興社
製　本　加藤製本

定価はカバーに表示してあります。
万一、乱丁落丁の場合は送料当方負担でお取替えいたします。
小社営業部宛お送り下さい。

Printed in Japan　ISBN4-16-323160-9